中华人民共和国国家标准

电子工业纯水系统安装与验收规范

Code for installation and acceptance of pure water system of
electronic industry

GB 51035 - 2014

主编部门：中华人民共和国工业和信息化部
批准部门：中华人民共和国住房和城乡建设部
施行日期：2 0 1 5 年 8 月 1 日

中国计划出版社

2014 北 京

中华人民共和国国家标准

电子工业纯水系统安装与验收规范

GB 51035-2014

☆

中国计划出版社出版

网址：www.jhpress.com

地址：北京市西城区木樨地北里甲 11 号国宏大厦 C 座 3 层

邮政编码：100038　电话：（010）63906433（发行部）

新华书店北京发行所发行

北京市科星印刷有限责任公司印刷

850mm×1168mm　1/32　4 印张　99 千字

2015 年 7 月第 1 版　2015 年 7 月第 1 次印刷

☆

统一书号：1580242·641

定价：24.00 元

UDC

中华人民共和国国家标准

P

GB 51035－2014

电子工业纯水系统安装与验收规范

Code for installation and acceptance of pure water system of electronic industry

2014－12－02 发布　　　　2015－08－01 实施

中华人民共和国住房和城乡建设部
中华人民共和国国家质量监督检验检疫总局　　联合发布

中华人民共和国住房和城乡建设部公告

第 590 号

住房城乡建设部关于发布国家标准
《电子工业纯水系统安装与验收规范》的公告

现批准《电子工业纯水系统安装与验收规范》为国家标准,编号为 GB 51035—2014,自 2015 年 8 月 1 日起实施。其中,第 3.6.6、3.6.7、4.1.4 条为强制性条文,必须严格执行。

本规范由我部标准定额研究所组织中国计划出版社出版发行。

中华人民共和国住房和城乡建设部
2014 年 12 月 2 日

前　言

　　本规范是根据住房城乡建设部《关于印发〈2009 年工程建设标准规范制订、修订计划的通知〉》(建标〔2009〕88 号)的要求,由工业和信息化部电子工业标准化研究院电子工程标准定额站、中国电子系统工程第二建设有限公司会同有关单位共同编制完成的。

　　本规范在编制过程中,编制组经广泛调查研究,认真总结实践经验,参考有关国际标准和国外先进标准,并在广泛征求意见的基础上,最后经审查定稿。

　　本规范共分 7 章和 3 个附录,主要技术内容包括:总则、术语及缩略语、设备安装、配管工程、电气工程、系统调试及测试、工程验收等。

　　本规范以黑体字标志的条文为强制性条文,必须严格执行。

　　本规范由住房城乡建设部负责管理和对强制性条文的解释,由工业和信息化部负责日常管理,由中国电子系统工程第二建设有限公司负责具体技术内容的解释。执行过程中如有意见或建议,请寄送中国电子系统工程第二建设有限公司(地址:江苏省无锡市滨湖区蠡溪路 888 号;邮政编码:214072),以供今后修订时参考。

　　本规范主编单位、参编单位、主要起草人和主要审查人:

　　主 编 单 位:工业和信息化部电子工业标准化研究院电子工程标准定额站
　　　　　　　　中国电子系统工程第二建设有限公司

　　参 编 单 位:信息产业电子第十一设计研究院科技工程股份有限公司

无锡华润微电子有限公司动力系统工程公司

上海汉华水处理工程有限公司

上海科信检测科技有限公司

栗田工业(苏州)水处理有限公司

北京中瑞电子系统工程设计院有限公司

北京北方佳云净水设备有限公司

主要起草人：熊墨臣　施红平　惠文荣　陈思源　田宇鸣
　　　　　　李洪伟　安　庆　葛亚洲　赵敬献　陆志强
　　　　　　郁　锭　袁朝阳　张国兴　吴建华　薛长立
　　　　　　杜宝强　郑秉孝　肖劲戈　刘宝钢　张建清
　　　　　　王　冬

主要审查人：王凌旭　李正男　薛首文　阚祥明　高　鹏
　　　　　　张　悦　邹秀平　张秉志　周可可　萧铭辰

目　次

Contents

1 总 则

1.0.1 为了规范电子工业纯水系统安装工程的施工管理，统一工程施工质量的验收，保证工程质量，制定本规范。

1.0.2 本规范适用于新建、改建、扩建的电子工业纯水系统的安装及验收。

1.0.3 纯水系统施工应按经批准的施工图、相关的技术标准及合同约定的技术内容进行，施工图修改应有设计单位的设计变更通知书或技术核定签证。

1.0.4 纯水系统工程安装及验收除应符合本规范的规定外，尚应符合国家现行有关标准的规定。

2 术语和缩略语

2.1 术 语

2.1.1 电子工业纯水系统 pure water system of electronic industry

制备电子工业生产所需的纯水、超纯水,由制备设备、管路、电气及相应仪表等组成的系统的总称。

2.1.2 多介质过滤器 multi media filter

在一定的压力作用下,使水通过设备内充填的多层介质,通过介质间的孔隙截留水中的悬浮、絮凝物等杂质的装置。

2.1.3 活性炭过滤器 active carbon filter

活性炭过滤器属于压力式过滤设备,内填比表面积较大、具有物理吸附和化学吸附功能的活性炭,通过利用其综合的吸附作用,去除水中的有机物、余氯、色度和异味等的装置。

2.1.4 反渗透装置 reverse osmosis unit

在外加压力作用下,利用一种半透性薄膜使水分子和其他一些物质从高浓度侧向低浓度侧选择性透过,从而将绝大部分溶解固形物(盐)、有机物、胶体及颗粒等截留去除的膜及组件组成的设备。

2.1.5 电脱盐装置 electrodeionazation

利用电场作用,使得水中的阴、阳离子定向迁移并选择性地通过阴离子交换膜及阳离子交换膜,在阴、阳离子交换膜之间分别形成纯水、浓水隔室,同时利用电解水产生的氢离子与氢氧根离子不断的再生失效的工作层树脂,从而连续去除水中离子而不需要专门再生的除盐装置的统称。

2.1.6 混床 mixed bed

混床也称混合离子交换塔,是把阴、阳离子交换树脂按一定的比例混合装填在同一设备内,对水中的各种阴、阳离子进行交换、脱除,从而达到制取高纯度的纯水的装置。

2.1.7 紫外线杀菌装置 ultraviolet sterilization

利用波长254nm的紫外线照射,杀灭水中的活菌的装置。

2.1.8 紫外线除总有机碳装置 ultraviolet TOC removal

利用波长185nm的紫外线照射,降解水中的总有机碳(TOC)的装置。

2.1.9 膜脱气装置 membrane degasifier

利用膜分离技术降低水中挥发性溶解物质的装置。

2.1.10 超滤 ultrafiltration

指在外压作用下,利用非对称性膜去除水中相对分子量6000至500000的高分子物质或胶体的膜分离装置。

2.1.11 电阻率 resistivity

截面积为$1cm^2$,长度为$1cm$的水柱,在25℃时的电阻值,常用的电阻率单位为$M\Omega \cdot cm$。水的纯度越高,电阻率越大。

2.1.12 颗粒度 particle

单位体积水中,大于或等于某粒径的颗粒的个数。

2.1.13 总有机碳 TOC total organic carbon

水中的有机物质的含量,以有机物中的主要元素——碳的量来表示。

2.1.14 余氯 residual chlorine

指水与氯族消毒剂接触一定时间后,余留在水中的氯。

2.1.15 淤塞指数 silt density index

在标准压力和标准时间周期内,一定体积水样通过一特定微孔膜滤器的阻塞率。通常采用的测算周期为15min,其对应所测得的淤塞指数称为SDI15。

2.2 缩 略 语

ACF——活性炭过滤器(Active carbon filter)

Cl - PVC——洁净硬聚氯乙烯(Clean Polyvinyl Chloride)

EDI——电脱盐装置(Electrodeionazation)

FRP——玻璃钢(Fiberglass-Reinforced Plastics)

MB——混床(Mixed bed)

MDG——膜脱气装置(Membrane degasifier)

MMF——多介质过滤器(Multi media filter)

PFA——可溶性聚四氟乙烯(Polyfluoroalkoxy)

PP——聚丙烯(Polypropylene)

PVC——聚氯乙烯(Polyvinyl Chloride)

PVDF——聚偏二氟乙烯(Polyvinylidene difluoride)

RO——反渗透(Reverse osmosis)

TOC——总有机碳(Total organic carbon)

TOC - UV——紫外线除 TOC 装置(Ultraviolet TOC removal)

UF——超滤(Ultrafiltration)

UV——紫外线杀菌装置(Ultraviolet sterilization)

3 设备安装

3.1 一般规定

3.1.1 施工现场应有相应的施工管理体系、质量管理体系、质量控制及检验制度,应有经过审批的施工组织设计(施工方案)等技术文件。

3.1.2 设备安装应按规定的程序进行,相关各专业工序间应进行交接检验,并应形成书面记录,上道工序未经检验合格,不得进行下道工序的施工。

3.1.3 主要设备的装箱清单、产品质量合格证、性能检测报告及产品说明书等随机文件、附件应齐全,进口设备还应有商检合格的证明文件。设备所有开口应密封良好,到场验收后应形成验收记录。

3.1.4 设备就位前应对设备基础进行检查验收,设备基础的外形尺寸、坐标位置、标高、平整度应符合设计要求。

3.1.5 设备安装前,设备基础的环氧涂层、FRP 涂层或涂层的底层应施工完成,并应达到养护期。

3.1.6 设备的搬运及吊装应符合产品的相关规定,并应对设备做好有效的保护措施。

3.1.7 设备开口的密封,在进行接口配管前不得打开。

3.1.8 设备就位后,应有明确的标识,注明设备的状况及注意事项,设备的易碎部位应采用软体物品包裹保护。

3.1.9 紫外线杀菌装置及紫外线除 TOC 装置的进、出口应安装不锈钢材质的 L 型或 S 型管路。

3.1.10 电子工业纯水系统的设备安装除应符合本规范的规定外,还应符合现行国家标准《机械设备安装工程施工及验收通用规范》GB 50231 的有关规定。

3.2　非金属设备安装

3.2.1　本节适用于电子工业纯水系统中采用玻璃钢材料及其他塑性材料制作的水箱、塔、槽的安装及质量验收。

3.2.2　非金属设备吊装、安装时,不应采用铁制工具敲打设备本体。

Ⅰ　主 控 项 目

3.2.3　设备的型号、规格、数量、质量应符合设计技术文件的要求。

检查数量:全数检查。

检查方法:依据设计文件核对、观察检查,检查设备质量合格证明文件。

3.2.4　设备基础的位置、尺寸、平整度应符合设计要求。

检查数量:全数检查。

检查方法:依据设计文件核对,检查基础施工记录,卷尺检测及目测。

3.2.5　玻璃钢材料及其他塑性材料制作的水箱、塔、槽、内衬PVDF 的水箱在固定安装后,外表不得有开裂、变形、破损、内衬PVDF 脱离的现象。

检查数量:全数检查。

检查方法:观察检查。

3.2.6　设备安装时,平底设备底部宜垫厚度大于或等于 5mm 的橡胶板或 50mm 厚细砂,当垫细砂时,应在设备基础周边设置固砂堤。

检查数量:全数检查。

检查方法:依据设计文件核对,卷尺检测及目测。

3.2.7　非承压水箱应做满水试验,满水试验时间不应少于 24h。

检查数量:全数检查。

检查方法:满水试验,观察检查是否有渗漏及变形。

Ⅱ 一 般 项 目

3.2.8 设备安装到位后,应采用膨胀螺栓或化学锚栓固定,并应采用双螺母锁定,但与设备接触的螺母不宜拧得过紧。

检查数量:全数检查。

检查方法:观察检查。

3.2.9 设备固定完成后,底部垫橡胶板的设备与基础地面的缝隙处应采用密封胶等柔性材料填实。

检查数量:全数检查。

检查方法:观察检查。

3.2.10 非金属设备安装的允许偏差应符合表 3.2.10 的规定。

检查数量:全数检查。

检查方法:应符合表 3.2.10 的规定。

表 3.2.10 非金属设备安装的允许偏差及检查方法

序号	项 目	允许偏差	检 查 方 法
1	中心线位置	±10mm	经纬仪或拉线、卷尺检查
2	标高	±10mm	水准仪或水平尺、拉线、卷尺检查
3	纵向水平度	≤1/1000	水准仪或水平尺、拉线、卷尺检查
4	横向水平度	≤1/1000	水准仪或水平尺、拉线、卷尺检查
5	垂直度	≤1/1000	线锤、卷尺检查

3.2.11 设备的附件应齐全,安装应牢固且符合设计要求。

检查数量:全数检查。

检查方法:依据设计文件核对,观察检查。

3.3 碳钢设备安装

3.3.1 本节适用于采用碳钢材料制作及内部衬橡胶、PVC 等塑性材料或内涂环氧漆的碳钢设备的安装及质量验收。

3.3.2 设备搬运、吊装、安装时,不应采用铁制工具敲打设备本体。

Ⅰ 主控项目

3.3.3 设备焊接质量、内衬及内涂质量应符合设计要求。

检查数量:全数检查。

检查方法:依据设计文件的要求核对、观察检查,内衬质量应采用电火花检测仪检查,内涂质量应采用测厚仪检查。

3.3.4 设备内附件及连接用螺丝材质应符合设计要求。

检查数量:全数检查。

检查方法:观察检查,检查质量合格证明文件。

3.3.5 设备的安装应符合下列要求:

1 设备的安装方向应符合设计要求,窥视镜易于观察,人孔易于操作开启;

2 设备安装应平稳,固定螺栓的型号、规格、数量应符合设计要求;

3 设备安装底板的周边应打密封胶密封。

检查数量:全数检查。

检查方法:依据设计文件核对、观察检查,检查质量合格证明文件。

3.3.6 附件、平台、梯子等与设备连接时,不得采用电焊等产生高温的连接方式。

检查数量:全数检查。

检查方法:观察检查。

Ⅱ 一般项目

3.3.7 碳钢设备安装的允许偏差应符合表 3.3.7 的规定。

检查数量:全数检查。

检查方法:应符合表 3.3.7 的规定。

表 3.3.7 碳钢设备安装的允许偏差及检查方法

序号	项 目	允许偏差	检 查 方 法
1	中心线位置	±10mm	经纬仪或拉线、卷尺检查
2	标高	±10mm	水准仪或水平尺、拉线、卷尺检查
3	垂直度	≤1/1000	线锤、卷尺检查

3.3.8 设备安装固定应采用双螺母锁定,设备调正调平后螺母应拧紧。

检查数量:全数检查。

检查方法:观察检查。

3.3.9 附件、平台、梯子应齐全,安装应牢固。

检查数量:全数检查。

检查方法:依据设计文件核对,观察检查。

3.4 不锈钢设备安装

3.4.1 本节适用于采用不锈钢材料制作的设备的安装及质量验收。

3.4.2 设备搬运时应采用软体物品进行保护,吊装时应采用尼龙类软性吊带。

Ⅰ 主 控 项 目

3.4.3 设备外表面处理、内部焊缝、脱脂处理、内表面干净程度应符合设计要求。

检查数量:全数检查。

检查方法:观察检查,脱脂处理质量及干净程度应采用洁净布擦拭检查。

3.4.4 设备内附件及连接用螺丝的材质应与设备本体材料一致。

检查数量:全数检查。

检查方法:观察检查,检查质量合格证明文件。

3.4.5 设备的安装应符合本规范第3.3.5条的规定。

检查数量:全数检查。

检查方法:依据设计文件核对、观察检查,检查质量合格证明文件。

Ⅱ 一 般 项 目

3.4.6 设备固定用的膨胀螺栓或化学锚栓应采用不锈钢材质。

3.4.7 设备安装允许偏差应符合本规范表3.3.7的规定。

检查数量：全数检查。

检查方法：应符合本规范表 3.3.7 的规定。

3.5 泵及风机安装

3.5.1 本节适用于系统中输送水、污泥、药品类泵及反洗、鼓风、曝气用风机的安装及质量验收。

Ⅰ 主 控 项 目

3.5.2 水泵及风机的规格、型号、技术参数应符合设计文件要求。

检查数量：全数检查。

检查方法：依据设计图纸核对，检查性能检测报告等随机文件。

3.5.3 对有脱脂要求的水泵，脱脂清洗处理应符合设计文件要求。

检查数量：全数检查。

检查方法：依据设计文件核对，检查水泵到货的相关随机文件。

3.5.4 水泵的正常连续试运行时间不应少于 2h，且试运行期间的轴承温升及电机温升应符合设备技术文件的要求。

检查数量：全数检查。

检查方法：应采用温度检测仪检测。

Ⅱ 一 般 项 目

3.5.5 水泵安装的允许偏差应符合表 3.5.5 的规定。

检查数量：全数检查。

检查方法：应符合表 3.5.5 的规定。

表 3.5.5 水泵安装的允许偏差及检查方法

序号	项 目	允许偏差	检 查 方 法
1	平面位置	±10mm	经纬仪或拉线、卷尺检查
2	标高	±10mm	水准仪或水平尺、拉线、卷尺检查
3	纵向水平偏差	≤0.1/1000	水准仪或拉线、卷尺检查
4	横向水平偏差	≤0.2/1000	水准仪或拉线、卷尺检查

3.5.6 水泵联轴器两轴芯的允许偏差应符合表 3.5.6 的规定。

检查数量：全数检查。

检查方法：应符合表 3.5.6 的规定。

表 3.5.6　水泵联轴器两轴芯的允许偏差及检查方法

序号	项　　目	允许偏差	检 查 方 法
1	轴向倾斜	≤0.2/1000	百分表、塞尺检查
2	径向位移	≤0.05mm	百分表、塞尺检查

3.5.7 水泵的安装应符合下列要求：

1 固定螺栓材质应符合设计文件要求，且应垂直、拧紧，与设备底座接触应紧密；

2 带减震器的水泵，减震器与水泵及水泵基础连接应牢固、平稳、接触紧密。

检查数量：全数检查。

检查方法：观察检查。

3.5.8 风机安装的允许偏差应符合表 3.5.8 的规定。

检查数量：全数检查。

检查方法：应符合表 3.5.8 的规定。

表 3.5.8　风机安装的允许偏差及检查方法

序号	项　　目	允许偏差	检 查 方 法
1	平面位置	±10mm	经纬仪或拉线、卷尺检查
2	标高	±10mm	水准仪或水平尺、拉线、卷尺检查

3.5.9 风机的安装应符合下列要求：

1 风机进风口应设置简易过滤网；

2 风机安装应设置减震器，安装减震器的地面应平整，各组减震器承受荷载的压缩量应均匀。

检查数量：全数检查。

检查方法：观察检查。

3.6 组装式设备安装

3.6.1 本节适用于反渗透装置、微滤、超滤、电脱盐装置、膜脱气装置、组装式紫外线杀菌装置、组装式紫外线除 TOC 装置的安装及质量验收。

Ⅰ 主控项目

3.6.2 组装式设备的安装应符合下列要求：

    1 组件型号、规格、数量应符合设计文件要求；

    2 组件及仪表安装应符合产品的相关要求；

    3 设备管路接口规格、位置、方向应符合设计文件要求；

    4 设备固定应牢固。

    检查数量：全数检查。

    检查方法：依据设计图纸核对，观察检查。

3.6.3 反渗透装置的膜件应在装置前端管路及膜壳内壁清洗合格后安装。

    检查数量：全数检查。

    检查方法：观察检查。

3.6.4 微滤、超滤装置的膜组件应在装置前端设备出水水质指标符合设计要求，且前段管路系统清洗合格后安装。

    检查数量：全数检查。

    检查方法：观察检查。

3.6.5 反渗透装置的膜件、微滤及超滤装置的膜组件安装时，应戴洁净或医用手套。

    检查数量：全数检查。

    检查方法：观察检查。

3.6.6 电脱盐装置的模块的进出水管路必须接地可靠。

    检查数量：全数检查。

    检查方法：依据设计图纸核对，观察检查并测定电阻。

3.6.7 装置本体自带配电盘或仪表盘必须接地可靠。

检查数量:全数检查。

检查方法:依据设计图纸核对,观察检查并测定电阻。

Ⅱ 一 般 项 目

3.6.8 组装式设备安装的允许偏差应符合表3.6.8的规定。

检查数量:全数检查。

检查方法:应符合表3.6.8的规定。

表 3.6.8 组装式设备安装的允许偏差及检查方法

序号	项 目	允许偏差	检 查 方 法
1	中心线位置	±10mm	经纬仪或拉线、卷尺检查
2	标高	±10mm	水准仪或水平尺、拉线、卷尺检查
3	垂直度	≤1/1000	线锤、卷尺检查

3.7 其他设备安装

3.7.1 本节适用于单组件式紫外线杀菌装置、单组件式紫外线除TOC装置、搅拌装置及热交换器等设备的安装及质量验收。

Ⅰ 主 控 项 目

3.7.2 单组件式紫外线杀菌装置及紫外线除TOC装置的规格、型号、技术参数等应符合设计文件要求。

检查数量:全数检查。

检查方法:依据设计图纸核对,检查性能检测报告等随机文件。

3.7.3 搅拌装置安装的主控项目允许偏差应符合表3.7.3的规定。

检查数量:全数检查,每组检查不少于8个点。

检查方法:应符合表3.7.3的规定。

表 3.7.3 搅拌装置安装主控项目的允许偏差及检查方法

序号	项 目	允许偏差	检 查 方 法
1	搅拌机台座水平度	≤5/1000	水准仪或水平尺、拉线、卷尺检查
2	搅拌轴垂直度	≤1/500	水准仪或水平尺、拉线、卷尺检查

3.7.4 热交换器冷、热源的进出口接管应符合设计及设备的要求;管路进行焊接作业时,焊接地线应搭接在焊接管路上。

检查数量:全数检查。

检查方法:依据设计图纸核对,观察检查。

Ⅱ 一 般 项 目

3.7.5 单组件式紫外线杀菌装置及紫外线除 TOC 装置、冷热交换器安装的允许偏差应符合表3.6.8的规定。

检查数量:全数检查。

检查方法:应符合本规范表3.6.8的规定。

3.7.6 搅拌装置安装的一般项目允许偏差应符合表3.7.6的规定。

检查数量:全数检查。

检查方法:应符合表3.7.6的规定。

表 3.7.6 搅拌装置安装的一般项目允许偏差及检查方法

序号	项 目	允许偏差	检 查 方 法
1	中心线位置	±20mm	经纬仪或拉线、卷尺检查
2	标高	±20mm	水准仪或水平尺、拉线、卷尺检查

3.7.7 搅拌装置的平台、走道、搅拌机台座安装应牢固。

检查数量:按数量抽查20%,不得少于1组。

检查方法:观察检查。

4 配管工程

4.1 一般规定

4.1.1 本章适用于电子工业纯水系统中的碳素钢管道、不锈钢管道、PP 管道、PVC 管道、Cl－PVC 管道、PVDF 管道的安装及质量验收。

4.1.2 配管工程使用的管材、管件、阀门的规格、型号及安装应符合设计要求，并有相应的产品出厂合格文件。

4.1.3 配管工程的安装施工作业人员应经过相应的操作技能培训且经考核合格。

4.1.4 系统中的药品管路安装应符合设计要求，敷设在人行通道上方的酸碱液管路应设置相应的防护措施。

4.1.5 配管施工时，配管区域不应有大量产生灰尘的作业，作业时应对周边的设备进行保护。

4.1.6 管路系统压力试验应符合下列规定：

　　1 管路输送介质为液体时，压力试验应采用水为试验介质；

　　2 输送纯水的管路应采用与输送介质同品质的水为压力试验介质，或应采用纯度不低于 99.99% 的高纯惰性气体作为试验介质；

　　3 输送气体的管路，压力试验应采用与输送介质同品质的惰性气体或压缩空气为试验介质；

　　4 采用水为试验介质时，压力试验的强度试验压力应为设计压力的 1.5 倍，严密性试验的压力应为设计压力，采用气体为试验介质时，强度试验的试验压力应为设计压力的 1.15 倍；

　　5 当管路材质为 PVC、Cl－PVC 等塑性材料时，采用气体作为试验介质的试验压力不应超过 0.3MPa；

6 水压试验稳压应为 2h,气压试验稳压应为 24h。水压试验应以管路系统无渗漏、压力不降为合格,气压试验应以检漏液检验不泄漏为合格。

4.1.7 对于系统中的冷冻水、热水、蒸汽、温超纯水管路,应按设计要求做好保温;对于室外的 PVC、Cl－PVC 等管路,应做好隔离紫外线照射的措施。

4.1.8 配管工程安装除应符合本规范相关规定外,还应符合现行国家标准《工业金属管道工程施工规范》GB 50235 及《工业金属管道工程施工质量验收规范》GB 50184 的有关规定。

4.2 共用管架安装

4.2.1 本节适用于电子工业纯水系统中共用管架的制作、安装及质量验收。

4.2.2 共用管架安装应在与纯水系统相关的土建施工已完成,且养护期已达到结构设计要求后进行。

4.2.3 共用管架油漆施工时不应有大量产尘作业同时进行,作业时应对管架周边的设备进行防护。

4.2.4 共用管架不应作为起吊重物的支点。

Ⅰ 主 控 项 目

4.2.5 钢材、焊接材料、作为永久性连接件的螺栓的规格、型号及性能等应符合国家现行有关产品标准和设计要求。

检查数量:全数检查。

检查方法:检查质量合格证明文件、检测报告,卷尺、游标卡尺测量。

4.2.6 结构连接的对接和角对接组合焊缝应符合现行国家标准《钢结构工程施工质量验收规范》GB 50205 的有关要求。

4.2.7 焊缝表面不得有裂纹、焊瘤、气孔、夹渣、咬边、未焊满等缺陷。

检查数量:同类构件按数量抽查 10%,且不得少于 3 件;被

抽查的构件中,同一类型的焊缝按数量抽查 10%,且不得少于
1 条。

检查方法:观察检查或采用焊缝量规测量。

Ⅱ 一般项目

4.2.8 钢材、焊接材料、焊缝的表面外观质量应符合现行国家标
准《钢结构工程施工质量验收规范》GB 50205 的有关规定。

检查数量:按数量抽查 10%,且焊缝不得少于 3 条、焊接材料
不得少于 5 包。

检查方法:观察检查。

4.2.9 共用管架安装应符合下列要求:

1 管架与建筑结构连接有预埋钢板时,管架与预埋钢板焊接
应符合第 4.2.7 条及第 4.2.8 条的有关规定;

2 当管架与建筑结构连接采用锚栓固定时,宜采用化学锚栓
固定,化学锚栓植入建筑结构的深度应符合产品的相关规定;管架
安装尺寸的允许偏差应符合表 4.2.9 的规定。

检查数量:按数量抽查 10%,且不得少于 10 处。

检查方法:采用经纬仪、水准仪或水平尺、拉线、卷尺检查。

表 4.2.9 管架安装的允许偏差及检查方法

序号	项 目	允许偏差	检 查 方 法
1	横向位置	±20mm	经纬仪或拉线、卷尺检查
2	纵向位置	±20mm	经纬仪或拉线、卷尺检查
3	标高	±20mm	水准仪或水平尺、拉线、卷尺检查
4	水平度	≤2/1000	水准仪或水平尺、拉线、卷尺检查

4.2.10 共用管架涂装应符合下列要求:

1 纯水处理区与化学药品区设在同一建筑内时,涂料应采用
环氧类涂料;

2 管架表面不应漏涂,涂层应均匀,无明显皱皮、流坠、气泡
等现象;

3 涂装遍数、涂层厚度均应符合设计要求。当设计无要求时,涂层干漆膜总厚度不应小于 $125\mu m$,且误差不得超过 $-25\mu m$。

检查数量:按数量抽查 10%,且不得少于 10 处。

检查方法:观察检查,涂层厚度应采用膜厚仪检测。

4.3 碳素钢管道安装

4.3.1 本节适用于电子工业纯水系统中碳素钢管道的预制、焊接、安装及质量验收。

4.3.2 碳素钢管道的预制、焊接、安装的质量验收,除应遵守本节规定外,还应符合现行国家标准《工业金属管道工程施工规范》GB 50235 及《工业金属管道工程施工质量验收规范》GB 50184 的有关规定。

Ⅰ 主 控 项 目

4.3.3 碳素钢管道切割应符合下列要求:

1 管道公称直径小于或等于 100mm 时,宜采用机械切割机或气割切割;管道公称直径大于 100mm 时,宜采用气割切割;

2 管道切口表面应平整且无裂纹、毛刺、熔渣、氧化物、铁屑、凹凸等;

3 切口端面倾斜允许偏差应为管道外径的 $\pm1.0\%$,且最大允许偏差应为 3mm。

检查数量:按数量抽查 20%,且不得少于 1 件。

检查方法:核查施工记录或观察检查、尺量。

4.3.4 管道坡口宜采用机械方法加工,坡口应符合现行国家标准《工业金属管道工程施工规范》GB 50235 的有关规定。

检查数量:按数量抽查 20%,且不得少于 2 处。

检查方法:核查施工记录或观察检查、尺量。

Ⅱ 一 般 项 目

4.3.5 碳素钢管的连接应符合下列规定:

1 无缝钢管等非镀锌类碳素钢管应采用焊接;

2 镀锌钢管公称直径不大于 100mm 时,采用丝扣连接;公称直径大于 100mm 时,采用法兰或沟槽连接。

检查数量:按系统抽查,每个系统抽查 20%。

检查方法:核查施工记录或观察检查、尺量。

4.3.6 管道或管件、阀门组对时,应同心,对口错边量不得超过管道壁厚的 10%。且不大于 2mm。

检查数量:按数量抽查 20%,且不得少于 1 个系统。

检查方法:核查施工记录或观察检查、尺量。

4.3.7 管道安装的允许偏差应符合表 4.3.7 的规定。

检查数量:按数量抽查 20%,且不得少于 1 个系统。

检查方法:应符合表 4.3.7 的规定。

表 4.3.7 管道安装的允许偏差及检查方法

序号	项 目	允 许 偏 差	检 查 方 法
1	坐标位置	≤±15mm	经纬仪或拉线、卷尺检查
2	标高位置	≤±15mm	水准仪或水平尺、拉线、卷尺检查
3	管道平直度 (公称直径≤100mm)	小于有效管长的 2L/1000, 最大不超过 50mm	水平尺、拉线、卷尺检查
4	管道平直度 (公称直径>100mm)	小于有效管长的 3L/1000, 最大不超过 80mm	水平尺、拉线、卷尺检查
5	垂直度	小于有效管长的 5L/1000, 最大不超过 30mm	挂线、卷尺检查
6	共架敷设管道间距	<15mm	水平尺、拉线、卷尺检查
7	交叉管道的外壁或保温管间距	<20mm	水平尺、拉线、卷尺检查

注:L 为管道有效长度。

4.4 不锈钢管道安装

4.4.1 本节适用于电子工业纯水系统中不锈钢管道的预制、焊接、安装及质量验收。

4.4.2 不锈钢管道的预制、焊接、安装的质量验收,除应遵守本节规定外,还应符合现行国家标准《工业金属管道工程施工规范》GB 50235 的有关规定。

4.4.3 对于系统中有洁净要求的不锈钢管道,宜采用不锈钢酸洗管(BA 管)或不锈钢内壁电抛光管(EP 管),其预制、焊接、安装应符合现行国家标准《特种气体系统工程技术规范》GB 50646 的有关规定。

Ⅰ 主 控 项 目

4.4.4 不锈钢管道切割应符合下列要求:

1 不锈钢管道切割宜采用机械割刀或不锈钢带锯切割,不得采用易在管道内、外表面产生残渣的等离子切割机等工具切割;

2 管道切口应采用半圆锉刀或手砂轮对管口内、外壁清除毛刺;

3 管道切口表面应平整、无毛刺,切口端面倾斜允许偏差应为管道外径的±1.0%,且最大允许偏差应为 1mm。

检查数量:按数量抽查 20%,且不得少于 1 件。

检查方法:核查施工记录或观察检查、尺量。

4.4.5 除 BA、EP 管外的不锈钢管道焊接应符合下列要求:

1 坡口加工,应符合现行国家标准《工业金属管道工程施工规范》GB 50235 的有关规定;

2 管道焊接应采用手工氩弧焊,焊接时应充气保护,焊缝应形态均匀,双面成型,不得有未焊透、未融合、表面凸凹、气孔、错边等缺陷;

3 焊接完成后,焊缝应趁热采用不锈钢钢丝刷清理表面氧化层,或采用药剂对焊缝表面进行酸洗钝化处理。

检查数量：按数量抽查 20％,且不得少于 1 个系统。

检查方法：核查施工记录或观察检查、尺量。

4.4.6　BA 或 EP 管道焊接应采用自动焊,焊接保护及吹扫用气应采用纯度为 99.999％的高纯氩气。

4.4.7　BA 或 EP 管坡口应采用专用端面平口机,剖口形状应为Ⅰ型,且应符合下列要求：

　　1　坡口加工时,应向管内充纯度为 99.999％氩气；

　　2　管端应与轴线垂直,加工面光滑、无毛刺；

　　3　管内口有毛刺时,应用倒角器去除；

　　4　坡口完成后,应用医用酒精或丙酮清洁加工部位,并应用洁净密封帽或塑料袋封口。

检查数量：全数检查。

检查方法：核查产品合格证及施工记录。

4.4.8　不锈钢管路不得直接与碳素钢类支架、管卡接触,应采用塑料或橡胶柔性绝缘材料隔离。法兰紧固螺栓应采用不锈钢材质。

检查数量：按数量抽查 20％,且不得少于 1 个系统。

检查方法：观察检查、核查产品合格证。

Ⅱ　一　般　项　目

4.4.9　不锈钢管材、管件、阀门等材料内、外表面不得有明显划痕或锈斑,不锈钢材料的内外表面应无尘、无油,表面平整光滑,并不得有划痕、氧化现象。

检查数量：按数量抽查 20％,且不得少于 1 个系统。

检查方法：观察检查、核查产品合格证。

4.4.10　管道或管件、阀门组对时应同心,对口错边量不得超过管道壁厚的 10％,且不大于 0.2mm。

检查数量：按数量抽查 20％,且不得少于 1 个系统。

检查方法：核查施工记录或观察检查、尺量。

4.4.11　管道安装的允许偏差应符合本规范表 4.3.7 的规定。

检查数量：按数量抽查 20％，且不得少于 1 个系统。

检查方法：应按本规范表 4.3.7 的规定执行。

4.5 PP 管道安装

4.5.1 本节适用于电子工业纯水系统中采用热熔焊接法施工的 PP 管道安装及质量验收。

4.5.2 PP 管连接应采用热熔焊接，焊接作业人员应具有相应的焊接作业培训考核合格证书。

4.5.3 进行管道焊接用的热熔接机，应根据管道品牌、直径及管件型式采用对应的热熔焊机；焊接操作应符合产品的相关规定，同时应保持焊机、加热板的清洁。

4.5.4 PP 焊接加工作业的场所或施工现场，应保持清洁。

Ⅰ 主 控 项 目

4.5.5 管道切割宜采用塑料割刀。切口端面倾斜允许偏差应为管子外径的±0.5％，且最大允许偏差应为 1mm。

检查数量：按数量抽查 20％。

检查方法：观察检查、尺量。

4.5.6 管道热熔焊接应符合下列要求：

1 对接管段或管件应固定可靠，对接错边不得大于管子壁厚的 10％，并不应大于 1mm；

2 热熔焊接加热板面应保持清洁；

3 依据产品的相关规定，应设置加热温度及加热时间，并应控制热熔对口压力、对接时间、冷却时间。

检查数量：抽查 20％的焊口。

检查方法：尺量、观察检查、核查施工记录。

4.5.7 管道系统的热熔焊缝应符合下列要求：

1 对接焊缝应高于管道表面 2mm～3mm，不得低于管道表面；

2 焊缝不得出现缺陷接口，焊缝宽度不得超出产品规定的平均宽度的 20%。

检查数量:抽查 20% 的焊缝。

检查方法:观察检查、尺量、核查施工记录。

Ⅱ 一 般 项 目

4.5.8 管道切口表面应平整、无毛刺、无污物;焊缝卷边应一致、美观。

检查数量:按数量抽查 20% 的焊口。

检查方法:观察检查、尺量、核查施工记录。

4.5.9 PP 管道安装应符合下列要求:

1 支(吊)架不应设在管道接头、焊缝处,其净距应大于 50mm;

2 支(吊)架与管道间应填入柔性材料隔离;

3 管道上的阀门等集中荷载处应固定可靠,应单独设置支架支撑;

4 PP 管道安装的支(吊)架间距应符合表 4.5.9 的要求。

表 4.5.9 PP 管道安装的支(吊)架间距(mm)

公称直径 使用温度	15	20	25	32	40	50	65	80	100	125	150	200	250
≤20℃	650	700	800	950	1100	1250	1550	1650	1850	2100	2250	2650	2950
21℃~30℃	625	675	775	925	1075	1225	1500	1600	1800	2050	2200	2550	2850
31℃~40℃	600	650	750	900	1050	1200	1450	1550	1750	2000	2100	2450	2750
41℃~50℃	575	625	725	875	1000	1150	1400	1500	1700	1900	2000	2350	2650
51℃~60℃	550	600	700	850	950	1100	1350	1450	1600	1800	1900	2250	2550
61℃~70℃	525	575	675	800	925	1050	1300	1400	1500	1700	1800	2150	2450
71℃~80℃	500	550	650	750	875	1000	1250	1350	1400	1600	1700	2000	2300

检查数量:按数量抽查 20%,且不得少于 1 个系统。

检查方法:核查施工记录或观察检查、尺量。

4.6 PVC 管道安装

4.6.1 本节适用于电子工业纯水系统中采用粘接法施工的 PVC 管道安装及质量验收。

4.6.2 同一管道系统中所采用的管材、附件应为同一品牌产品，并应符合设计要求；黏结所使用的胶水宜为配套供应或得到管材生产厂家认可的产品。

4.6.3 PVC 管材装卸、运输和堆放过程，不得抛投、激烈碰撞及在硬性物体上拖拉，且应避免阳光曝晒。

4.6.4 管道粘接场所严禁明火，且通风应良好，集中操作场所应设排风设施。

Ⅰ 主控项目

4.6.5 管材的内外表面应光滑，无气泡、裂纹，管壁厚度应均匀，色泽一致；管件应光滑、无毛刺，承口有锥度，并与插口配套。

　　检查数量：按数量抽查 20%。

　　检查方法：观察检查，尺量，试插。

4.6.6 PVC 管道的粘接应符合下列要求：

　　1 管道粘接作业时，环境温度应高于 5℃；

　　2 管道端口粘接前应倒角，倒角长度应为 2mm～3mm，并应均匀；

　　3 粘接前管材、附件的承、插口粘接表面应无尘、无油污、无水迹；

　　4 黏结剂的涂抹应先涂承口、后涂插口，并应重复 2 遍～3 遍，涂抹应迅速、均匀；

　　5 黏结剂涂抹完成后应迅速进行插接，插入深度达到规定值后保持 2min；

　　6 符合上述规定的同时，还应遵守所使用材料生产厂家的施工要求。

　　检查数量：抽查 20%。

检查方法:观察检查,尺量、核查施工记录。

Ⅱ 一 般 项 目

4.6.7 PVC管道安装应符合下列要求:

   1 管道与支(吊)架之间应填入柔性材料隔离;

   2 接头与支(吊)架的净距应大于100mm;

   3 管道安装的支(吊)架间距应符合表4.6.7的规定。

表 4.6.7 PVC管道安装的支(吊)架间距(mm)

公称直径 使用温度	15	20	25	32	40	50	65	80	100	125	150	200	250
≤20℃	800	1100	1200	1350	1450	1600	1800	2000	2400	2700	2900	3450	3750
21℃～30℃	750	1050	1150	1300	1400	1550	1750	1900	2300	2600	2800	3300	3700
31℃～40℃	700	1000	1050	1250	1350	1500	1700	1850	2250	2500	2700	3200	3550

检查数量:按数量抽查20%,且不得少于1个系统。

检查方法:核查施工记录或观察检查、尺量。

4.7 Cl-PVC 管道安装

4.7.1 本节适用于电子工业纯水系统中采用粘接法施工的Cl-PVC管道安装及质量验收。

4.7.2 材料到场时外包装应完整无破损,粘接施工前不得拆除外包装。

4.7.3 Cl-PVC管材装卸、运输和堆放过程,不得抛投、激烈碰撞及在硬性物体上拖、刮,并应避免阳光曝晒。

4.7.4 管道粘接场所应干净,粘接时严禁明火,通风应良好。

4.7.5 Cl-PVC管道作业人员应经过操作培训合格,在安装整个过程中应穿着干净的服装、佩戴防尘手套,作业的工具应干净。

Ⅰ 主 控 项 目

4.7.6 系统所采用的管材、附件应符合设计要求;黏结剂应为配套产品或是管材生产厂家指定的产品。

检查数量:按数量抽查 20%。

检查方法:观察检查、核查产品合格证。

4.7.7 管道安装应符合下列要求:

1 管材、管件的外封套在使用时方可拆开;

2 管段切割应采用塑料割刀,切割过的管端应使用专用的内、外倒角器进行倒角,并应用专用清洗剂、洁净布对管端内、外壁进行擦拭;

3 不得徒手接触管材、管件内壁。

检查数量:按数量抽查 20%。

检查方法:观察检查、核查施工记录。

4.7.8 管道粘接作业应符合下列要求:

1 黏结剂的涂抹应先承口后插口,并应重复 2 遍~3 遍,涂抹应均匀;

2 管道插入的长度应符合产品的要求,插入长度达到要求后,应加力保持 1min~2min。

检查数量:按数量抽查 20%,且不得少于 1 个系统。

检查方法:观察检查、尺量、核查施工记录。

Ⅱ 一 般 项 目

4.7.9 管道切割需固定时,不得刮伤管道表面,应采用柔性材料包裹。

检查数量:按数量抽查 20%。

检查方法:观察检查。

4.7.10 管道黏结剂的涂刷应使用专用的涂抹刷。

检查数量:按数量抽查 20%。

检查方法:观察检查。

4.7.11 管道插接完成后,应采用干净的棉布清理粘接口余留的黏结剂。

检查数量:按数量抽查 20%。

检查方法:观察检查。

4.7.12 管道与支(吊)架之间应填入柔性材料隔离;接头处不应设置支(吊)架,接头与支(吊)架的净距应大于 100mm。

4.7.13 CI-PVC 管道安装的支(吊)架间距应符合表 4.7.13 的规定。

表 4.7.13 CI-PVC 管道安装的支(吊)架间距(mm)

公称直径 使用温度	15	20	25	32	40	50	65	80	100	125	150	200	250
≤20℃	800	1100	1200	1350	1450	1600	1800	2000	2400	2700	2900	3450	3750
21℃~30℃	750	1050	1150	1300	1400	1550	1750	1900	2300	2600	2800	3300	3700
31℃~40℃	700	1000	1050	1250	1350	1500	1700	1850	2250	2500	2700	3200	3550

检查数量:按数量抽查 20%,且不得少于 1 个系统。

检查方法:核查施工记录或观察检查、尺量。

4.8 PVDF 管道安装

4.8.1 本节适用于电子工业纯水系统中采用热熔焊接施工的 PVDF 管道安装及质量验收。

4.8.2 焊接加工应在洁净度为 7 级的预制间或洁净室内进行,每道焊缝应做好相应的记录及质量检查,预制完成件的管端应采用洁净塑料袋密封包装好。

4.8.3 PVDF 管道焊接作业人员应具有相应的焊接培训考核合格证书,作业过程应穿着洁净服、佩戴洁净手套。

4.8.4 管道焊接应根据管道品牌、直径采用对应型号的自动或半自动热熔焊机,焊接操作应符合产品的相关规定。

4.8.5 管材、附件密封包装应完整,在进行焊接加工或现场组装前不得拆除外包装。

4.8.6 PVDF 材料在装卸、运输和堆放过程,不得抛投或激烈碰撞及在铁质物体上拖、刮;管材、附件存放的环境应防雨、防晒且应堆放平整。

Ⅰ 主 控 项 目

4.8.7 材料进场时应检查管材、管件、阀门的外观、规格尺寸、材质和出厂合格证明文件。

检查数量:除规格尺寸抽查 10% 外,其余全数检查。

检查方法:观察检查,尺量和核查相关文件。

4.8.8 管道应采用塑料割刀进行切割,切口端面应平整,无伤痕、无毛刺。

检查数量:按数量抽查 30%。

检查方法:观察检查。

4.8.9 管道热熔焊接应符合下列要求:

1 管道组对错位允许偏差应为管壁厚度的 ±10%,组对间隙允许偏差应为 ±0.2mm;

2 应保持热熔焊接加热板清洁、无尘;

3 应根据管道管径、管壁厚度及产品的相关规定,准确设置加热温度及加热时间,并应严格控制热熔对口压力、对接时间、冷却时间;

4 不同管壁厚度的管道、附件不得对接。

检查数量:按数量抽查 30%。

检查方法:观察检查、尺量、核查施工记录。

4.8.10 管道热熔对接的焊缝,应为均匀的双重焊道,且双重焊道谷底应高于管道外表面,高度宜为管壁厚的 10%;双重焊道宽度应按管道壁厚确定,但不得小于 2mm。

检查数量:按数量抽查 30%。

检查方法:观察检查,尺量,必要时切下管段检查。

Ⅱ 一 般 项 目

4.8.11 管道焊接切口表面应光滑,无伤痕,无毛刺,焊缝应平整、一致和美观。

检查数量:按数量抽查 20%。

检查方法:观察检查。

4.8.12 PVDF 管道在焊接加工后,应采用洁净塑料袋密封管端;现场安装时宜采用法兰连接,连接螺栓应采用不锈钢材质。

检查数量:按数量抽查 20%。

检查方法:观察检查。

4.8.13 PVDF 管道安装应符合下列要求:

1 管道伸缩节、接头或焊缝与支(吊)架的净距应大于 100mm;

2 管道穿越墙体、楼板、顶棚时,应设置套管,套管内的管段不得有焊缝、接头;

3 管道与支(吊)架之间应填入柔性材料隔离;

4 管道上的阀门等集中荷载处应固定可靠,应单独设置支架支撑;

5 管道安装的支(吊)架间距应符合本规范表 4.8.13 的规定。

表 4.8.13 PVDF 管道安装的支(吊)架间距(mm)

公称直径 使用温度	15	20	25	32	40	50	65	80	100	125	150	200	250
≤20℃	725	850	950	1100	1200	1400	1500	1600	1800	2000	2300	2550	2850
21℃~30℃	700	800	900	1050	1150	1350	1450	1550	1750	1950	2200	2500	2750
31℃~40℃	650	750	850	1000	1100	1300	1400	1500	1700	1900	2150	2400	2650
41℃~50℃	600	700	800	950	1050	1200	1350	1450	1650	1800	2050	2300	2550
51℃~60℃	575	700	750	900	1000	1150	1300	1400	1550	1750	1950	2200	2450
61℃~70℃	550	650	700	850	950	1100	1250	1350	1500	1700	1900	2100	2350
71℃~80℃	500	600	675	800	900	1000	1200	1300	1450	1600	1800	2000	2250

检查数量:按数量抽查 20%,且不得少于 1 个系统。

检查方法:核查施工记录或观察检查、尺量。

5 电 气 工 程

5.1 一 般 规 定

5.1.1 本章适用于电子工业纯水系统的电气工程安装及质量验收。

5.1.2 电气工程施工前，相关各专业工序间应进行交接检验，并应形成书面记录，上道工序未经检验合格，不得进行下道工序施工。

5.1.3 电气工程安装使用的电气设备、材料、仪表应符合设计文件要求，装箱清单、附件、产品说明书、产品质量合格证及性能检测报告应齐全，进口设备还应有商检合格证明文件，并应形成签字完整的验收记录。

5.1.4 电气设备安装前，设备基础的尺寸、强度、平整度应符合设计要求，基础的环氧涂层和预埋施工应已完成。

5.1.5 电气工程安装验收应有设计变更的证明文件、设备及材料的合格证明文件、进场检查记录、安装过程记录、隐蔽工程验收记录、测试记录、试运行记录。

5.1.6 电气工程的安装除应符合本规范相关规定外，还应符合现行国家标准《电气装置安装工程电缆线路施工及验收规范》GB 50168及《建筑电气工程施工质量验收规范》GB 50303 的有关规定。

5.2 电气桥架及配管配线

5.2.1 电子工业纯水系统采用的桥架应符合设计文件要求。

5.2.2 动力桥架与控制桥架应分开设置，合并设置时应在桥架内设置隔板，将桥架按电缆比例分开。

5.2.3 电线管应符合设计文件要求,药品区应采用阻燃 PVC 电线管,易燃易爆区域应采用厚壁镀锌钢管。

5.2.4 电线管应壁厚均匀,无折皱、裂缝、砂眼等缺陷,管内应无铁屑及毛刺等杂物。

Ⅰ 主 控 项 目

5.2.5 电缆接线前应做绝缘测试,其绝缘电阻应符合下列要求:

  1 控制线路绝缘电阻不应小于 0.5MΩ;

  2 动力线路绝缘电阻不应小于 1MΩ。

  检查数量:全数检查。

  检查方法:采用兆欧表检测及核查记录。

5.2.6 设备电气进线配管应安装防水三通或防水盒,设备与电线管间的连接应采用包塑金属软管,金属软管应有一定的垂度,其最低点应比设备的进线口低 50mm～100mm。

  检查数量:按数量抽查 20%,且不得少于 1 个。

  检查方法:观察检查、卷尺测量。

5.2.7 金属桥架的接地应符合现行国家标准《建筑电气工程施工质量验收规范》GB 50303 的有关规定。

  检查数量:全数检查。

  检查方法:采用万用表或电阻仪检测及核查记录。

Ⅱ 一 般 项 目

5.2.8 电缆桥架的敷设应符合现行国家标准《电气装置安装工程电缆线路施工及验收规范》GB 50168 的有关规定。

5.2.9 电缆桥架与管道的最小净距离应符合设计及现行国家标准《电气装置安装工程电缆线路施工及验收规范》GB 50168 的有关规定。

  检查数量:按数量抽查 20%,且不得少于 1 个系统。

  检查方法:核查施工记录、卷尺测量。

5.2.10 电线配管与其他管道保持的安全距离应符合现行国家标准《电气装置安装工程电缆线路施工及验收规范》GB 50168 的有

关规定。

检查数量:按数量抽查 20%,且不得少于 1 个系统。

检查方法:核查施工记录,卷尺测量。

5.2.11 电缆敷设不得有绞拧、护层断裂等缺陷,拐弯处半径应以最大截面电缆允许半径为准,且应对每个回路分段绑扎,并在其两端、拐弯处、交叉处挂标识牌。

检查数量:按数量抽查 20%,且不得少于 1 个系统。

检查方法:观察检查。

5.2.12 信号电缆接线时,盘内接线应将屏蔽层编成一体接至盘内的接地母排,现场仪表端的屏蔽层不应接地,应采用绝缘胶布包裹。

检查数量:按数量抽查 20%,且不得少于 1 个系统。

检查方法:观察检查。

5.3 电气设备安装

5.3.1 本节主要适用于电子工业纯水系统中控制室内电气设备和现场电气设备的安装及质量验收。

5.3.2 搬运及吊装电气设备应符合产品的相关规定,并应做好设备的保护措施。

Ⅰ 主控项目

5.3.3 电气设备的型号、规格、数量、质量等应符合设计文件的要求。

检查数量:全数检查。

检查方法:依据设计文件核对、观察检查,检查设备质量合格证明文件。

5.3.4 电气盘柜、设备基础及预留接地点三者之间的连接应牢固、可靠。

检查数量:全数检查。

检查方法:观察检查。

5.3.5 电气盘柜安装的允许偏差应符合现行国家标准《建筑电气工程施工质量验收规范》GB 50303 的有关规定。

检查数量:按数量抽查 20%,且不得少于 1 个系统。

检查方法:核查施工记录、卷尺测量。

5.4 仪 表 安 装

5.4.1 本节适用于电子工业纯水系统带有电信号的压力表、温度计、流量计、液位计及电导率计、电阻率计、pH 计、浊度分析仪、溶解氧分析仪、二氧化硅分析仪、TOC 分析仪、颗粒计数仪等仪表的安装及质量验收。

5.4.2 仪表的安装应牢固,配件安装齐全,外观无损伤。

Ⅰ 主 控 项 目

5.4.3 仪表的型号、规格、参数、数量、安装位置应符合设计要求,安装质量应符合产品说明书的要求。

检查数量:全数检查。

检查方法:依据设计文件核对、观察检查,检查设备质量合格证明文件。

Ⅱ 一 般 项 目

5.4.4 感应式温度计安装时应将传感器的感应探头插入到被测管的中心至 2/3 位置处,连接处应密封严实。

检查数量:全数检查。

检查方法:依据设计文件核对、观察检查,卷尺测量。

5.4.5 压力表传感器的安装应便于操作人员观察和清洗,并应避免受到辐射热、冻结或震动的不利影响。压力表与被测管路间应装设隔离阀。

检查数量:全数检查。

检查方法:依据设计文件核对、观察检查。

5.4.6 液位计安装应符合下列要求:

1 超声波液位计安装应符合下列要求：

　1）超声波液位计应安装于容器的上方，探头发射面垂直指向液面。对于密闭容器，应采用法兰式安装，其他情况可采用简单的支架安装。法兰式安装应根据液位计上的螺纹尺寸配制法兰，安装位置应远离凹凸不平的容器壁、容器内的扶梯、注液口。

　2）安装超声波液位计的密闭容器的法兰内口径宜大于120mm，法兰接管长度应小于100mm，接管内壁应光滑，下边沿应为光滑的圆弧形；法兰内口径小于120mm大于70mm时，法兰接管应最短。

　3）超声波液位计安装位置应保证液面不进入液位计盲区，并应远离易产生强电磁干扰的设备，需要时可以将液位计加高安装，加高时所用的对接管内壁应光滑，其内径不应大于容器法兰口内径。

2 浮球式液位计在地坑中安装时，每个浮球的浮动半径宜为150mm。

3 压力式液位计安装位置应避免受到辐射热、冻结或震动的不利影响。

检查数量：全数检查。

检查方法：依据设计文件核对、观察检查，卷尺测量。

5.4.7 流量计的安装应符合下列要求：

1 电磁式流量计安装位置应有维护空间，并应避开有磁性物体及具有强电磁场的设备，环境温度应在−20℃～+60℃之间，相对湿度应小于85%。

2 超声波流量计的传感器可水平或垂直安装，同时应避免沉积物和气泡的影响，电极轴向应保持水平；垂直安装时，流体应自下而上流动。

3 涡轮式流量计的安装应符合下列要求：

　1）涡轮式流量计的进口端直管段不应小于20倍管道公称

直径,出口端直管段不应小于 7 倍管道公称直径;

  2)传感器安装除应符合产品安装的相关要求外,不应安装在泵的进水侧、管道放空处,应安装在较低处。安装在管道下方时,应保证传感器内被液体充满,不得出现空管状态。

 检查数量:全数检查。

 检查方法:依据设计文件核对、观察检查,卷尺测量。

5.4.8 电导率计、电阻率计、pH 计、浊度分析仪的安装应符合下列要求:

 1 探头应安装在管路的取样点处;

 2 数据显示器应安装在专设支架上;

 3 数据显示器安装高度应为 1.5m,并应做好保护措施;

 4 仪表不在工作状态时,应保证探头浸在所测液体中。

 检查数量:全数检查。

 检查方法:依据设计文件核对、观察检查,卷尺测量。

5.4.9 溶解氧分析仪、二氧化硅分析仪、TOC 分析仪、颗粒计数仪的安装应符合下列要求:

 1 应设置专门的仪表柜放置仪表,并应通过取样管从管路取水样至仪表进行检测;

 2 溶解氧分析仪取样管应采用不锈钢材质,其他仪表的取样管应采用 PFA 材质的软管;

 3 对于重力流式的取样,仪表的取样进口点应低于管路取样点;

 4 颗粒计数仪取样管应避开振动源;

 5 仪表安装完毕应做好防护措施。

 检查数量:全数检查。

 检查方法:依据设计文件核对、观察检查,检查材料的质量合格证明文件。

6 系统调试及测试

6.1 一 般 规 定

6.1.1 纯水系统调试、测试应由承包单位负责,建设单位、设计、监理和设备制造单位参与和配合。

6.1.2 系统调试应编制调试方案,并应审核批准。

6.1.3 系统调试结束后,应将完整的调试报告移交建设单位,调试报告应包括下列内容:

 1 系统概况;

 2 系统调试目的及依据;

 3 系统调试条件;

 4 系统调试的数据及分析;

 5 系统调试结论;

 6 系统调试数据附表及附图。

6.1.4 调试的条件应符合下列要求:

 1 纯水系统的土建施工、混凝土水池防腐施工应已完成,且排水设施通畅;

 2 设备及相关管道、阀门均应全部施工完毕,压力试验合格,且记录应齐全;

 3 系统所使用的化学药品应准备完毕,并已取样送检,且质量应符合使用要求;

 4 调试所需的动力、检测仪表、安全防护用具均应准备到位,并应符合要求;

 5 参加调试的人员应熟悉系统组成及相关技术文件,并应掌握设备调试操作规程。

6.1.5 调试检测所使用的计量器具、检测仪器仪表应经计量检验单位计量检验、校准合格,合格证明应在其有效期内。计量器具、检测仪器的精度等级及最小分度值应满足检测要求。

6.2 系 统 调 试

6.2.1 纯水系统安装完成后,应进行系统调试,系统调试应符合下列要求:

1 设备应进行单机试运转及调试;

2 系统应进行联合试运转及调试。

检查数量:全数检查。

检查方法:观察、旁站检查、查阅调试记录。

Ⅰ 设备单机试运转及调试

6.2.2 设备单机试运转及调试前,应对设备及与设备相关的管路进行冲洗,冲洗应符合下列要求:

1 承压管路的压力试验应已完成且合格;

2 设备内部应无杂物;

3 冲洗排水用的管路应畅通安全;

4 冲洗应以出水口无杂物、碎屑,且出水与进水的浊度、色度一致为合格。

检查数量:全数检查。

检查方法:观察检查。

6.2.3 设备单机试运转及调试应符合下列要求:

1 阀门的开启和关闭应顺滑连续,自动阀门在空载和工作压力下的开启和关闭均应动作灵活、开关到位,且开关状态及位置反馈信号应正确;

2 系统中检测流量、压力、液位、水质的仪表均应校验合格,且参数设定、信号输出应正确;

3 水泵运行时叶轮旋转方向应正确,无异常振动和噪音,电机运行电气参数及连续运转 2h 后的温升均应符合设备技术文件的规定,水泵流量、扬程应符合设计要求;

4 风机运转方向应正确,振动、噪音应符合设计文件要求,皮带的松紧应符合设备技术文件的规定;

5 搅拌装置的电机运转方向正确、运行电气参数及连续运转2h后的温升均应符合设备技术文件的规定,装置运行应平稳;

6 系统中的水箱、水池满水试验、冲洗均应合格,当设计要求对纯水箱进行蒸汽熏蒸处理时,应在水箱进水前进行蒸汽熏蒸;

7 监测及控制设备应能与系统的监测元件和执行机构正常通信,系统的状态参数应能正常显示,设备联锁、自动调节、自动保护等应能准确动作;

8 设备填料投料前,与设备相连接的前段管路及设备内部应冲洗合格,填料的型号、规格及数量应符合设计文件要求;

9 设备运行时的流量、压力损失等指标均应达到设计要求,且波动幅度应符合设计及设备技术要求;

10 调试过程中,各化学品加药量应准确计量,并应符合设计要求。

检查数量:全数检查。

检查方法:观察、旁站检查、查阅调试记录。

<h4 style="text-align:center">Ⅱ 系统联合试运转及调试</h4>

6.2.4 系统联合试运转及调试应在设备单机试运转及调试合格后进行,并应符合下列要求:

1 系统联动试运转过程中,设备及主要部件的联动应符合设计要求,且动作应协调、正确,无异常现象;多台设备并联运行时,各单体设备的运行流量应达到均衡一致;

2 设备的所有运转操作应处于正常操作模式;

3 系统联合试运转连续正常运行时间不宜少于36h。

检查数量:全数检查。

检查方法:观察、旁站检查、查阅调试记录。

6.2.5 系统联合试运转及调试完成后,在系统供水前应根据设计要求,对细菌量有限制的设备、管路进行杀菌消毒,杀菌消毒应符合下列要求：

    1 杀菌消毒前,应编制作业方案并报建设单位或管理单位审核批准；

    2 杀菌消毒前,应隔离相关的设备；

    3 进行杀菌消毒时,作业区域应有相应的安全监护措施；

    4 杀菌消毒剂应采用电子级的双氧水,杀菌消毒浓度应为 1%；

    5 系统中注入杀菌消毒剂后,循环、浸泡时间均不宜少于 1h；

    6 循环、浸泡完成后,应开启杀菌消毒区域的供水泵,向系统注入正常运转时所输送的水对系统进行冲洗,用 H_2O_2 试纸检查,无杀菌消毒剂应合格；

    7 杀菌消毒的废液排放应有可靠、安全的回收或处理措施。

6.3 系 统 测 试

6.3.1 系统试运转正常后,应进行系统测试,系统测试周期不应少于 72h。

6.3.2 纯水系统的测试点应根据合约文件和设计要求进行设置。

6.3.3 在测试周期内获得的所有在线分析数据应储存并形成各自的趋势图表。

6.3.4 需要离线分析的数据,在测试周期内的取样次数不宜少于 1 次/天。

6.3.5 在测试周期内,反洗、再生、清洗至少应有一次完整的操作,并应符合设计要求。

6.3.6 系统试运转正常后,在各设备达到设计确定的满负荷运转条件下,应进行下列指标测试,且应符合设计要求：

    1 多介质过滤器的产水淤塞指数；

    2 活性炭过滤器的产水余氯含量；

    3 离子交换塔的产水硬度、周期总产水流量；

4 顺流、逆流再生复床式离子交换装置的产水电导率或二氧化硅泄漏量、周期总产水流量；

5 脱碳酸塔产水 pH；

6 反渗透装置的脱盐率、回收率以及产水电导率，且单组膜元件的产水流量、回收率、给水流量均应符合产品要求及设计值；

7 混床的产水电阻率或二氧化硅泄漏量、周期总产水流量；

8 电脱盐装置的产水电阻率、产水流量及回收率；

9 膜脱气装置产水中溶解氧的含量及产水流量；

10 热交换器运行时的出水温度；

11 紫外线杀菌装置的去除率及紫外线除 TOC 装置出口的电阻率；

12 系统终端过滤装置的产水指标。

检查数量：全数检查。

检查方法：应符合本规范附录 A 和附录 B 的规定。

7 工 程 验 收

7.1 一 般 规 定

7.1.1 电子工业纯水工程验收应分为竣工验收与综合性能验收两个阶段。

7.1.2 竣工验收应在工程施工完成后由建设单位组织施工、设计、监理、设备制造等相关单位对系统各分部工程做观感质量检查和无生产负荷的联合试运转测定及调试,合格后即应办理竣工验收手续。

7.1.3 综合性能试验应在竣工验收后,或具备试生产条件下进行。综合性能验收应由建设单位组织,设计、施工、设备制造等相关单位配合。综合性能试验测定及调整合格后即应办理综合性能验收手续。

7.1.4 电子工业纯水系统安装工程的竣工验收应按现行国家标准《建筑工程施工质量验收统一标准》GB 50300 的有关规定,并应结合本规范按检验批、分项、分部和单位工程的程序进行,同时做好验收记录。记录应按本规范附录 C 的内容和要求填写。

7.1.5 检验批、分项工程和分部工程的验收,应由监理单位组织,施工单位参加。单位工程的验收,应由建设单位组织,监理单位和施工单位参加。需要设计单位、设备制造单位和其他相关单位参加的验收项目由建设单位根据实际情况确定。

7.1.6 隐蔽工程在隐蔽前应进行见证验收,并应完成验收记录和验收签证。

7.1.7 电子工业纯水系统安装工程检验批可根据施工及质量控制需要划分。

7.1.8 电子工业纯水系统安装工程分部、分项工程的划分应按表7.1.8的规定进行。

表 7.1.8　纯水安装工程的分部、分项的划分

序号	分部工程	分 项 工 程
1	设备安装	非金属设备安装、碳钢设备安装、不锈钢设备安装、泵及风机安装、组装式设备安装
2	管道安装	金属管道安装、非金属管道安装
3	电气及仪表安装	电气设备安装、电气桥架及电缆敷设、电气配管及穿线、电气仪表安装

7.1.9 分项工程质量验收合格应符合下列要求：

　　1 各检验批的质量验收均应合格；

　　2 分项工程资料应齐全。

7.1.10 分部工程质量验收合格应符合下列规定：

　　1 各分项工程质量验收均应合格；

　　2 设备单体无负荷试运转应合格；

　　3 分部工程资料应齐全。

7.1.11 单位工程质量验收合格应符合下列规定：

　　1 各分部工程质量验收均应合格；

　　2 单位工程资料应齐全；

　　3 应符合档案管理要求。

7.1.12 当工程施工质量不符合要求时，应登记备案，并应符合下列规定：

　　1 经返工重做或更换设备及附件的检验项目，应重新验收；

　　2 经返修后能满足安全及功能要求的检验项目，可按技术处理方案和协商文件进行处理。

7.1.13 检验批、分项工程、分部工程及单位工程的质量验收文件应数据准确、文件完整、签字手续齐备，并应符合档案管理的要求。

7.2 竣 工 验 收

7.2.1 电子工业纯水工程的竣工验收提供的文件应包括下列内容：

1 图纸会审记录、设计修改文件和竣工图；

2 主要设备、材料、成品、半成品和仪器仪表的出厂合格证明或检验报告；

3 主要设备、仪器仪表使用说明书及维护保养手册资料；

4 工程施工检验记录；

5 管道压力试验记录；

6 设备单机试运转记录；

7 系统无生产负荷联合试运转与调试记录；

8 检验批质量验收记录；

9 分项工程质量验收记录；

10 分部工程质量验收记录；

11 工程质量事故处理记录。

7.2.2 工程安装质量应符合下列要求：

1 设备、管道、电气桥架及配管配线、电气盘、仪表等表面应干净,无明显划痕、变形,安装平直；

2 设备安装应牢固,平面布置及操作面的方向定位应符合设计文件要求,并应利于运行管理、维修服务、易耗材料更换的功能性要求；

3 管道的布置、管廊或管架的安装,应符合纯水系统平面规划设计或施工图要求；

4 设备或管道系统工艺要求的排水口安装,应符合施工图设计要求或引入就近相应的分类地沟或排水管,不宜直接安装在地面上；

5 设备、电气盘、电气桥架、电气配管等的接地应牢靠；

6 现场显示仪表安装,应符合施工图设计要求或便于现场巡

检和操作的要求,传感器类安装宜根据工艺性要求合理布置;

7 所有管道、阀门、控制柜应有相应标识,控制柜宜配有接线图;

8 系统流程的设备、管路等不得有滴漏水现象;

9 设备及管道的油漆应符合设计要求,外观应清洁完整,无返锈、脱落;

10 设备及管道的保温应符合设计要求,保温层外护应完整无损伤;

11 系统的单机调试、系统的无生产负荷的联合试运转测定及调试应符合设计及本规范的有关要求。

7.3 综合性能验收

7.3.1 电子工业纯水系统的综合性能验收,应根据设计要求确定验收项目。

7.3.2 电子工业纯水系统的综合性能验收应符合设计文件的要求,且至少应包括下列项目:

1 纯水系统设计文件要求的水质指标的测定;

2 纯水系统终端产水压力、流量的测定。

附录 A 纯水系统主要测试项目

表 A 纯水系统主要测试项目

序号	主要测试项目	检测方法
1	电阻率【MΩ·cm at 25℃】	在线式电阻率测定仪检测
2	二氧化硅 SiO_2【ug/l】	在线式 SiO_2 检测仪检测
3	颗粒度【pcs/ml】	在线式颗粒计数仪或扫描电镜(SEM)检测
4	细菌【pcs/ml】	使用膜过滤法(在 37℃情况下培养 48h)等检测
5	总有机碳(TOC)【ug/l】	在线式 TOC 检测仪、IC 检测
6	溶解氧(DO)【ug/l】	在线式溶解氧分析仪检测
7	Cu^{2+}【ug/l】	GFAAS、ICP－AES、ICP－MS 检测
8	Zn^{2+}【ug/l】	GFAAS、ICP－AES、ICP－MS 检测
9	Ni^+【ug/l】	GFAAS、ICP－AES、ICP－MS 检测
10	Na^+【ug/l】	GFAAS、ICP－AES、ICP－MS 检测
11	K^+【ug/l】	GFAAS、ICP－AES、ICP－MS 检测
12	Cl^-【ug/l】	IC 检测
13	NO_3^-【ug/l】	IC 检测
14	PO_4^{3-}【ug/l】	IC 检测
15	SO_4^{2-}【ug/l】	IC 检测
16	淤塞指数(SDI15)	SDI 检测仪检测
17	余氯含量【ug/l】	在线式余氯检测仪检测
18	硬度【mmol/L】	硬度测定仪检测
19	酸碱度(pH 值)	在线式 pH 检测仪检测
20	电导率【us/cm】	在线式电导率测定仪检测

续表 A

序号	主要测试项目	检 测 方 法
21	Ca^{2+}【ug/l】	GFAAS、ICP - AES、ICP - MS 检测
22	Mg^{2+}【ug/l】	GFAAS、ICP - AES、ICP - MS 检测
23	Al^{3+}【ug/l】	GFAAS、ICP - AES、ICP - MS 检测
24	Fe^{2+}【ug/l】	GFAAS、ICP - AES、ICP - MS 检测
25	Mn^{2+}【ug/l】	GFAAS、ICP - AES、ICP - MS 检测
26	NH_4^+【ug/l】	IC 检测
27	F^-【ug/l】	IC 检测
38	流量【m^3/h】	在线式流量计
29	温度【℃】	温度计
30	压力【MPa】	压力表

注:1 检测方法根据纯水水质的要求,结合检测方法的灵敏度、准确度、重现性、操作性、分析速度以及费用综合评判选择;

2 IC 检测:离子色谱法(Ion Chromatography);GFAAS 检测:石墨炉原子吸收法(Graphite Furnace Atomic Absorption Spectrophotometry);ICP –AES 检测:电感耦合等离子体发射光谱分析法(Inductively-Coupled Plasma Atomic Emission Spectroscopy);ICP – MS 检测:电感耦合等离子质谱法(Inductively-Coupled Plasma Atomic Mass Spectroscopy)。

附录 B 纯水系统主要指标测试方法

B.1 电 阻 率

B.1.1 纯水系统电阻率测试宜采用在线式电阻率检测仪检测。

B.1.2 检测仪应带温度自动补偿功能,量程和精度应符合检测参数的精度要求,并应处于校准有效期内。

B.1.3 电阻率测试点的设置应符合设计要求。

B.1.4 电阻率测试方法应符合下列要求:

　　1 迎着测试点的水流方向安装电极探头;

　　2 按检测仪的操作说明书要求,连接电极探头与变送器、设置相应的检测参数、操作仪表;

　　3 保持被测管路水流稳定、顺畅、测试点无死水;

　　4 检测仪显示界面显示的数据,即为该测试点的电阻率值。

B.1.5 对于没有温度自动补偿功能的检测仪,应将当前温度测试值换算成为 25℃下的电阻率,换算方法应符合现行国家标准《电子级水电阻率的测试方法》GB/T 11446.4 的有关规定。

B.1.6 电导率应为电阻率的倒数。

B.2 二 氧 化 硅

B.2.1 纯水系统二氧化硅含量测试宜采用在线式二氧化硅分析仪检测。

B.2.2 分析仪的量程和精度应符合检测参数的精度要求,并应处于校准有效期内。

B.2.3 二氧化硅含量测试采样点的设置应符合设计要求。

B.2.4 二氧化硅含量测试方法应符合下列要求:

　　1 采用 PE 或 PFA 软管从测试采样点取水样接至分析仪;

2 距离较远时,应采用与采用点同材质的管路作为引入管引水至分析仪附近,再采用 PE 或 PFA 软管接至分析仪取样;引入管末端应设置隔膜阀排水;

3 按分析仪的操作说明书要求,采用校准溶液进行化学零点与斜率校准、开启采样阀取水样、检测等操作;

4 观察分析仪显示界面显示的数据,即为该测试点的二氧化硅含量。

B.2.5 采用分光光度计取样检测时,测试方应法符合现行国家标准《电子级水中二氧化硅的分光光度测试方法》GB/T 11446.6 的有关规定。

B.3 颗 粒 度

B.3.1 纯水系统颗粒度测试宜采用在线式超纯水颗粒计数仪检测。

B.3.2 颗粒度测试点应符合设计参数要求。

B.3.3 测试仪器最小测试粒径应小于或等于纯水系统主控粒径。

B.3.4 颗粒度测试方法应符合下列要求:

1 采用 PE 或 PFA 软管从测试采样点取水样接至颗粒计数仪;

2 距离较远时,应采用与采用点同材质的管路作为引入管引水至计数仪附近,再采用 PE 或 PFA 软管接至计数仪取样、检测;

3 颗粒计数仪接入管路后,应包括引入管及 PE 或 PFA 软管在内的连接管路需经过充分冲洗、循环,直至测试数据逐步趋于稳定后方可正式读数;

4 颗粒计数仪的操作应遵循仪器操作说明书要求;

5 观察颗粒计数仪显示界面显示的数据,即为该测试点的颗粒度。

B.3.5 采用取样离线测试时,测试方法应符合现行国家标准《电子级水中微粒的仪器测试方法》GB/T 11446.9 的有关规定。

B.4 细　　菌

B.4.1　细菌总数测试应采用取样离线方式进行检测。

B.4.2　细菌总数测试采样点的设置应符合设计要求。

B.4.3　细菌总数测试采样前纯水系统稳定运行时间应大于30min,灭菌装置处于正常运行状态。

B.4.4　细菌总数的检测方法、计算及分析应符合现行国家标准《电子级水中细菌总数的滤膜培养测试方法》GB/T 11446.10 的有关规定。

B.5　总有机碳(TOC)

B.5.1　总有机碳测试宜采用在线方式检测。

B.5.2　仪器的量程和精度应符合检测参数的精度要求,并应处于校准有效期内。

B.5.3　总有机碳测试点应符合设计参数要求。

B.5.4　总有机碳测试方法应符合下列要求:

　　1　对于纯水系统终端产水测试,应采用 PE 或 PFA 软管从测试采样点取水样接至分析仪;距离较远时,应采用与采用点同材质的管路作为引入管引水至分析仪附近,再采用 PE 或 PFA 软管接至分析仪取样;

　　2　引入管末端应设置隔膜阀排水;

　　3　仪表采样后,应使用紫外光照射将水中的有机物氧化为二氧化碳,再用红外线测定法或水吸收后用电导法测定水样中的总有机碳;

　　4　对于纯水回用水系统 TOC 测试,引入管宜采用 PVC 管,取样管应采用 PE 或 PFA 软管;测试时应采用高锰酸钾或重铬酸钾作为水样中有机物的氧化剂检测水样中的总有机碳。

B.5.5　采用取样离线测试时,盛水容器(采样瓶)应使用带磨口塞的玻璃瓶,所有器皿使用前应先用洗涤液浸泡数小时,再用盐酸浸泡数小时。具体测试方法应符合现行国家标准《电子级水中总有机碳的测试方法》GB/T 11446.8 的有关规定。

B.6 溶解氧(DO)

B.6.1 纯水系统溶解氧测试宜采用在线式溶解氧分析仪检测。

B.6.2 分析仪的型号应符合测量要求,并应具备自动修正功能。

B.6.3 溶解氧测试方法应符合下列要求:

    1 采用不锈钢管从测试采样点取水样接至溶解氧分析仪;

    2 按分析仪的操作说明书要求,对仪表各参数进行设置、校准;

    3 保持检测水样的流速不小于 0.3m/s;

    4 按分析仪的操作步骤进行水样溶解氧检测。

B.6.4 溶解氧分析仪应定期对电极进行清洗、校准、再生。

B.6.5 分析仪不具备自动修正功能时,所测得的水中溶解氧的溶解度应对温度、压力和含盐量进行校正。

B.7 金属离子

B.7.1 纯水系统的金属离子测试应采用取样离线测试,可采用GFAAS、ICP - AES、ICP - MS 等方法检测。

B.7.2 纯水系统的金属离子测试项目应符合设计或合同文件的要求。

B.7.3 金属离子测试条件应符合下列要求:

    1 水样的采集应符合设计要求,并应选择有代表性的采样点;

    2 采样容器应耐热且不产生阳离子,宜使用聚乙烯等塑料容器进行采样;

    3 采样前,采样容器应预先用洗净剂清洗干净,再经被取样系统所制纯水充分冲洗;

4 样品分析环境的净化级别应优于 7 级；

5 水样存放不得超过 72h，不能及时分析时应放在冰箱里保存。

B.7.4 金属离子测试方法应符合下列要求：

1 测试方法宜采用电感耦合等离子体质谱法；

2 试剂应采用纯水（电阻率≥18MΩ·cm at 25℃）、浓硝酸、混合标准储备液、质谱调谐液、内标溶液；

3 应按仪器的操作说明书要求，使用调谐液调整仪器的灵敏度、分辨率等指标，以满足参数测试要求；

4 应按现行国家标准《电子级水中痕量金属的原子吸收分光光度测试方法》GB/T 11446.5 的有关要求取水样，再按电感耦合等离子体质谱的操作要求操作仪器，进行水样检测，仪器自动计算出水样中所检测的金属离子的量。

B.7.5 金属离子铜、锌、镍、钠、钾的测试方法也可采用原子吸收分光光度计法，检测方法应符合现行国家标准《电子级水中痕量金属的原子吸收分光光度测试方法》GB/T 11446.5 的有关规定。

B.8 阴 离 子

B.8.1 纯水系统的阴离子测试应采用取样离线检测，目前主要采用离子色谱法检测。

B.8.2 纯水系统的阴离子测试项目应符合设计或合同文件的要求。

B.8.3 阴离子测试应符合下列要求：

1 水样的采集应符合设计要求，选择有代表性的采样点；

2 采样容器应耐热且不产生阴离子，宜使用聚乙烯等塑料容器进行采样；

3 采样前，采样容器应预先用洗净剂清洗干净，再经被取样系统所制纯水充分冲洗；

4 仪器应在环境温度为 25℃±2℃、洁净为 7 级的环境中使用；

    5 分析试样时，每次分析后应立即注入空白用水，且水样存放不得超过 72h；

    6 每次测定应先进行标准溶液的校正。

B.8.4 阴离子的测试方法除应符合本规范的要求外，还应符合现行国家标准《电子级水中痕量氯离子、硝酸根离子、磷酸根离子、硫酸根离子的离子色谱测试方法》GB/T 11446.7 的有关规定。

B.8.5 阳离子 NH_4^+ 等非金属离子的测试要求及方法应按阴离子检测的规定。

B.9 淤塞指数(SDI15)

B.9.1 纯水系统淤塞指数测试宜采用在线式 SDI 检测仪检测。

B.9.2 仪器精度应满足检测参数要求，仪器操作应按仪器使用说明，且应在校准有效期内使用。

B.9.3 淤塞指数测试方法应符合下列要求：

    1 排除过滤池中的空气压力。根据滤池的种类，在给水球阀开启的情况下，或打开滤池上方的排气阀，或拧松滤池夹套螺纹，充分排气后关闭排气阀或拧紧滤池夹套螺纹；

    2 用带有刻度的 500ml 量筒接取滤过水以测量透过滤膜的水量。全开球阀时，应测量从球阀全开到接满 100ml 和 500ml 水样所需时间并记录；

    3 5min 后，应再次测量收集 100ml 和 500ml 水样所需时间，10min 及 15min 后再分别进行同样测量；

    4 当接取 100ml 水样所需时间超过 60s，意味着约 90% 的滤膜面积被堵塞，此时停止试验；

    5 试验结束打开滤池后，应将试验后的滤膜保存好；

    6 淤塞指数(SDI)按下式计算：

$$SDI = \frac{P_{30}}{T_t} = \left(1 - \frac{T_1}{T_f}\right) \times \frac{100}{T_t}$$

式中:SDI——淤塞指数；

P_{30}——在 30psi 给水压力下的滤膜堵塞百分比；

T_t——总测试时间,单位为 min。通常 T_t 为 15min,所测得的 SDI 称为 SDI15,但如果在 15min 内即有 75% 的滤膜面积被堵塞,测试时间就需缩短；

T_i——第一次取样所需时间；

T_f——15min(或更短时间)以后取样所需时间。

B.9.4 测试过程中应记录测试温度,在试验开始至结束的测试时间内,系统温度变化不应超过 1℃。

B.9.5 为了精确测量 SDI 值,P_{30} 不应超过 75%,若 P_{30} 超过 75%,应重新试验并在较短时间内获取 T_f 值。

B.10 余 氯

B.10.1 纯水系统余氯的测试宜采用在线式余氯检测仪检测。

B.10.2 检测仪的精度应满足参数检测要求,且应在校准有效期内。

B.10.3 余氯测试方法应符合下列要求:

1 按仪表的操作说明书要求,在测试点安装检测仪电极探头；

2 连接电极探头与变送器、设置仪表相应的检测参数。

B.11 硬 度

B.11.1 纯水系统水质硬度测试宜采用在线式硬度测定仪进行检测。

B.11.2 硬度测定仪应具有温度补偿功能,且仪器量程和精度应符合检测参数精度要求,并应处于校准有效期内。

B.11.3 硬度测试方法应符合下列要求:

1 采用 PE 或 PFA 软管从测试采样点取水样接至硬度测定仪；

2 硬度仪应根据 EDTA 容量滴定法的原理进行水样硬度检测；

3 EDTA 容量滴定法的具体测试方法应符合现行国家标准《生活饮用水标准检验方法 感官性状和物理指标》GB/T 5750.4 的有关规定。

B.12 酸碱度(pH 值)

B.12.1 pH 值宜采用在线式 pH 计检测。

B.12.2 pH 计的探头安装应符合设计及仪表操作说明书的要求。

B.12.3 酸碱度测试方法应符合下列要求：

1 按仪表的操作说明书要求,在测试点安装 pH 计电极探头；

2 连接电极探头与变送器、设置仪表相应的检测参数；

3 启动仪表,进行 pH 检测。

附录 C 工程质量验收记录用表

C.1 施工检验记录用表

C.1.1 立式静置设备安装记录宜符合表 C.1.1 的规定。

表 C.1.1 立式静置设备安装记录

工程名称				建设单位				
施工单位				设备名称规格				
序号	检查项目		允差值(mm)	实测值(mm)				
1	垂直度 ($H=$)	方向						
		方向						
		方向						
		方向						
2	中心线位移	纵 向						
		横 向						
3	安装标高							
附图及说明								
检查意见: 质量检查员: 年 月 日				验收结论: 监理工程师: (建设单位项目专业负责人) 年 月 日				

C.1.2 卧式静置设备安装检查记录宜符合表 C.1.2 的规定。

表 C.1.2 卧式静置设备安装检查记录

工程名称			建设单位				
施工单位			设备名称 规格				
序号	检 查 项 目		允差值(mm)	实测值(mm)			
1	轴向水平度	B-C方向					
		D-E方向					
2	径向水平度	B-D方向					
		C-E方向					
3	中心线位移	纵　　向					
		横　　向					
4	安 装 标 高						
附图及说明							

检查意见:	验收结论:
质量检查员:	监理工程师: (建设单位项目专业负责人)
年　　月　　日	年　　月　　日

C.1.3 非承压水箱满水试验记录宜符合表 C.1.3 的规定。

表 C.1.3 非承压水箱满水试验记录

工程名称			建设单位				
监理单位			施工单位				
序号	部 位	设备名称	盛水高度	满水时间(h)	试验状况	验收人	

试验检查意见：	验收结论：
质量检查员：	监理工程师： (建设单位项目专业负责人)
年　月　日	年　月　日

C.1.4 阀门安装前压力试验记录宜符合表C.1.4的规定。

表 C.1.4 阀门安装前压力试验记录

工程名称			施工单位		
产品品牌			规格型号		
抽查数量			公称压力		
试验依据			试验方式		
试验项目	强度试验			严密性试验	
试验参数	试验压力（MPa）	试验时间（min）	试验压力（MPa）	试验时间（min）	
试验标准值					
试验实测值					
结　论					
试验过程及存在问题和处理意见　　试验人：					
试验结果　　　　　　　　　　　　　　　　　　　　　　　　　　　　　　　　　　　技术负责人：　　　　　　　质量检查员：　　　　　年　　月　　日					
验收结论：　　　　　　　　　　　　　　　　　　　　　　　　　　　　　　　　　　专业监理工程师：　　　（建设单位项目专业负责人）　　　　　　　年　　月　　日					

C.1.5 管道焊接检验记录宜符合表 C.1.5 的规定。

表 C.1.5 管道焊接检验记录

工程名称						建设单位			
分项工程名称						施工单位			
试验环境						试验时间			
管道系统名称	安装焊口数量（个）	管材		焊接方法	焊接材料	焊工合格证代号	无损检查		
		规格	材质				检查数量	抽查比例	检查结果

检查意见：	验收结论：
技术负责人： 质量检查员： 　　　　　　　年　月　日	监理工程师： （建设单位项目专业负责人） 　　　　　　　年　月　日

C.1.6 承压管道系统(设备)强度和严密性试验记录宜符合表 C.1.6的规定。

表 C.1.6 承压管道系统(设备)强度和严密性试验记录

工程名称				试验系统			
分项名称				施工单位			
试验时间	年 月 日 时 分起			年 月 日 时 分止			
试验压力	试验依据	部位	材质	规格	系统编号	数量	
试验项目	强度试验			严密性试验			
试验参数	试验压力(MPa)	试验时间(min)		试验压力(MPa)	试验时间(min)		
试验标准值							
试验实测值							
结　论							
试验过程及存在问题和处理情况： 试验人：							
试验结果： 技术负责人：　　　　　　质量检查员：　　　　　年　月　日							
    监理工程师(建设单位专业项目负责人)：　　　　　　年　月　日							

C.1.7 管道系统冲洗记录宜符合表 C.1.7 的规定。

表 C.1.7　管道系统冲洗记录

工程名称			建设单位		
管道类别			施工单位		
系统部位			冲洗时间		年　月　日
材　　质	规　　格	单　　位	数　　量		工作介质
冲　洗　标　准　及　规　定					
冲洗方法					
冲洗标准					
冲洗结果					
标准依据					
试验情况： 　　　　　　　　　　　　　　　　试验人：					
冲洗检查意见： 技术负责人：　　　　　　质量检查员：　　　　年　月　日					
验收结论： 监理工程师(建设单位项目专业负责人)：　　　年　月　日					

C.1.8 线路(设备)绝缘电阻测试记录宜符合表 C.1.8 的规定。

表 C.1.8 线路(设备)绝缘电阻测试记录

工程名称		建设单位					
分项工程		施工单位					
额定工作电压		仪表型号					
试验电压等级							
单元(层次)							
回路或设备编号 限值 相别							
A－B、C、O、地							
B－A、C、O、地							
C－A、B、O、地							
O－地							
单元(层次)							
回路或设备编号 限值 相别							
A－B、C、O、地							
B－A、C、O、地							
C－A、B、O、地							
O－地							
检查结果:							
专业技术负责人: 质检员: 测试人: 年 月 日							
验收意见:							
专业监理工程师(建设单位项目负责人): 年 月 日							

C.2 施工质量检验批质量验收记录用表

C.2.1 设备安装工程施工质量检验批质量验收记录宜符合表 C.2.1的规定。

表 C.2.1 设备安装工程施工质量检验批质量验收记录

工程名称			检验批部位		项目经理	
工程施工单位名称			分包项目经理		专业工长	
分包单位			施工执行标准名称及编号		施工班组长	
序号		施工执行标准的规定			施工单位检查评定记录	监理(建设)单位验收记录
主控项目	1	设备的型号、规格、数量、质量必须符合设计技术文件的要求				
	2	设备基础的强度、尺寸、平整度必须符合设计要求				
	3	非承压设备的满水试验、承压设备的水压强度试验必须符合设计及规范的要求				
	4	设备的焊接质量、内衬质量、脱脂处理等必须符合设计及相应规范的要求				
	5	组合式设备及组件的安装应符合规范第3.6.2条~第3.6.7条的要求				
一般项目	1	非金属设备的安装允许偏差应符合规范表3.2.10的规定				
	2	碳钢设备及不锈钢设备的安装允许偏差应符合表3.3.7的规定				
	3	组装式设备的安装允许偏差应符合表3.6.8的规定				
施工单位检查评定结果	项目专业质量检查员: 年 月 日					
监理(建设)单位验收结论	专业监理工程师(建设单位项目专业技术负责人): 年 月 日					

C.2.2 泵及风机安装工程检验批质量验收记录宜符合表 C.2.2 的规定。

表 C.2.2 泵及风机安装工程检验批质量验收记录

工程名称			检验批部位		项目经理	
工程施工单位名称			分包项目经理		专业工长	
分包单位			施工执行标准名称及编号		施工班组长	
序号		施工执行标准的规定			施工单位检查评定记录	监理(建设)单位验收记录
主控项目	1	设备的规格、型号、技术参数等应符合设计文件要求				
	2	对有脱脂要求的水泵,其脱脂清洗处理必须符合设计文件要求				
	3	水泵的正常连续运行时间、试运行的轴承温升、电机温升应符合规范第3.5.4条的规定				
	4					
一般项目	1	水泵安装的允许偏差应符合规范表3.5.5的规定				
	2	水泵与电机连接的联轴器两轴芯的允许偏差应符合规范表3.5.6的规定				
	3	水泵的安装固定螺栓材质应符合设计文件要求,且应垂直、拧紧,与设备底座接触应紧密				
	4	带减震器的水泵,减震器与水泵及水泵基础连接应紧固、平整、接触紧密				
	5	风机的安装应符合规范第3.5.8条、第3.5.9条的规定				
施工单位检查评定结果		项目专业质量检查员: 年　月　日				
监理(建设)单位验收结论		专业监理工程师(建设单位项目专业技术负责人): 年　月　日				

C.2.3 非金属管道安装工程检验批质量验收记录宜符合表 C.2.3 的规定。

表 C.2.3　非金属管道安装工程检验批质量验收记录

工程名称			检验批部位		项目经理	
工程施工单位名称			分包项目经理		专业工长	
分包单位			施工执行标准名称及编号		施工班组长	
序号		施工执行标准的规定			施工单位检查评定记录	监理(建设)单位验收记录
主控项目	1	材料的规格、型号等符合设计文件要求				
	2	材料的切割及偏差控制符合产品技术要求				
	3	管道的粘接、焊接等符合规范第4.5.6、4.6.6、4.7.8、4.8.9条的要求				
	4	管道焊接的焊缝应符合规范第4.5.7条、第4.8.10条的要求				
	5	Cl-PVC管道的安装应符合规范第4.7.7条的要求				
一般项目	1	材料的外包装及表面应完好、无刮伤				
	2	管道切口的外观应符合规范第4.5.8条、第4.8.11条的要求				
	3	管道安装应符合规范第4.5.9条、第4.6.7条、第4.7.12条的要求				
	4	PVDF管道安装应符合规范第4.8.12条、第4.8.13条的要求				
施工单位检查评定结果		项目专业质量检查员： 　　　　　　　　　　　年　　月　　日				
监理(建设)单位验收结论		专业监理工程师(建设单位项目专业技术负责人)： 　　　　　　　　　　　年　　月　　日				

C.2.4 金属管道安装工程检验批质量验收记录宜符合表 C.2.4 的规定。

表 C.2.4　金属管道安装工程检验批质量验收记录

工程名称			检验批部位		项目经理	
工程施工单位名称			分包项目经理		专业工长	
分包单位			施工执行标准名称及编号		施工班组长	
序号		施工执行标准的规定			施工单位检查评定记录	监理(建设)单位验收记录
主控项目	1	管道的切割必须符合规范第4.3.3条或第4.4.4条的规定				
	2	管道的破口必须符合规范第4.3.4条或第4.4.5条的规定				
	3	BA/EP管的施工必须符合规范第4.4.6条、第4.4.7条的规定				
	4	不锈钢管路不得直接与碳素钢类支架、管卡等接触;法兰紧固螺栓应采用不锈钢材质				
一般项目	1	碳素钢管的连接应符合规范第4.3.5条的规定				
	2	碳素钢管道或管件、阀门组对应符合规范第4.3.6条的规定				
	3	不锈钢管道或管件、阀门组对应符合规范第4.4.10条的规定				
	4	不锈钢管材、管件、阀门等材料应符合规范第4.4.9条的规定				
	5	管道安装的允许偏差应符合规范表4.3.7的规定				
施工单位检查评定结果		项目专业质量检查员:　　　　　　　　　　　　年　　月　　日				
监理(建设)单位验收结论		专业监理工程师(建设单位项目专业技术负责人):　　　　　　　　　　　　年　　月　　日				

C.2.5 电线导管、电缆导管和线槽敷设检验批质量验收记录宜符合表 C.2.5 的规定。

表 C.2.5 电线导管、电缆导管和线槽敷设检验批质量验收记录

工程名称		检验批部位		项目经理	
工程施工单位名称		分包项目经理		专业工长	
分包单位		施工执行标准名称及编号		施工班组长	
序	号	施工执行标准的规定		施工单位检查评定记录	监理(建设)单位验收记录
主控项目	1	金属的导管和线槽必须接地(PE)或接零(PEN)可靠,并符合下列规定: 1. 镀锌的钢导管、可挠性导管和金属线槽不得熔焊跨接接地线,以专用地卡跨接的两卡间连线为铜芯软导线,截面积不小于 4mm²。 2. 当非镀锌钢导管采用螺纹连接时,连接处的两端焊跨接接地线;当镀锌钢导管采用螺纹连接时,连接处的两端用专用接地卡固定跨接接地线。 3. 金属线槽不作设备的接地导体。当设计无要求时,金属线槽全长不少于 2 处与接地(PE)或接零(PEN)干线连接。 4. 非镀锌金属线槽间连接板的两端跨接铜芯接地线,镀锌线槽间连接板的两端不跨接接地线,但连接板两端不少于 2 个有防松螺帽或防松垫圈的连接固定螺栓			
	2	金属导管不得对口熔焊连接;镀锌和壁厚小于或等于 2mm 的钢导管不得套管熔焊连接			
	3	防爆导管不应采用倒扣连接;当连接有困难时,应采用防爆活接头,其接合面应严密			
	4	当绝缘导管在砌体上剔槽埋设时,应采用强度等级不小于 M10 的水泥砂浆抹面保护,保护层厚度大于 15mm			

序　号		施工执行标准的规定	施工单位检查评定记录	监理(建设)单位验收记录
一般项目	1	室外埋地敷设防电缆导管,埋深不应小于0.7m。壁厚小于或等于2mm的钢电线导管不应埋设于室外土壤内		
	2	室外导管的管口应设置在盒、箱内。在落地式配电箱内的管口,箱底无封板的,管口应高出基础面50mm~80mm。所有管口在穿入电线、电缆后应做密封处理。由箱式变电所或落地式配电箱引向建筑物的导管,建筑物一侧的导管管口应设在建筑物内		
	3	电缆导管的弯曲半径不应小于电缆最小允许弯曲半径,电缆最小允许弯曲半径应符合提示表的规定要求		
	4	金属导管内外壁应防腐处理;埋设于混凝土内的导管内壁应防腐处理,外壁可不防腐处理		
	5	室内进入落地式柜、台、箱、盘内的导管管口,应高出柜、台、箱、盘的基础面50mm~80mm		
	6	暗配管的导管、埋设深度与建筑物、构筑物表面的距离不应小于15mm,明配的导管应排列整齐,固定点间距均匀,安装牢固;在终端、弯头中点或柜、台、箱、盘等边缘的距离150mm~500mm范围内设有管卡,中间直线段管卡间的最大距离应符合提示表达的规定		
	7	线槽应安装牢固,无扭曲变形,紧固件的螺母应在线槽外侧		
	8	防爆导管敷设应符合下列规定: 1. 导管及与灯具、开关、线盒等的螺纹连接处紧密牢固,除设计有特殊要求外,连接处不跨接接地线,在螺纹上涂以电力复合脂或导电性防锈脂。 2. 安装牢固顺直,镀锌层锈蚀或剥落处做防腐处理		

序　号		施工执行标准的规定	施工单位 检查评定记录	监理(建设) 单位验收记录
一般项目	9	绝缘导管敷设应符合下列规定: 1. 管口平整光滑,管与管、管与盒(箱)等器件采用插入法连接时,连接处接合面涂专用胶合剂,接口牢固密封。 2. 直埋于地下或楼板内的刚性绝缘导管,在穿出地面或楼板易受机械损伤的一段,采用保护措施。 3. 当设计无要求时,埋设在墙内或混凝土内的绝缘导管,采用中型以上的导管。 4. 沿建筑物、构筑物表面和在支架上敷设的刚性绝缘导管,按设计要求装设温度补偿装置		
	10	金属、非金属柔性导管敷设应符合下列规定: 1. 刚性导管经柔性导管与电气设备、器具连接,柔性导管的长度在动力工程中不大于 0.8m,在照明工程中不大于 1.2m。 2. 可挠金属管或其他柔性导管与刚性导管或电气设备、器具间的连接采用专用接头;复合型可挠金属管或其他柔性导管的连接处密封良好,防液覆盖层完整无损。 3. 可挠性金属导管和金属柔性导管不能做接地(PE)或接零(PEN)的接续导体		
	11	导管和线槽,在建筑物变形缝处,应设补偿装置		
施工单位 检查评定结果		项目专业质量检查员: 　　　　　　　　　　　　　年　　月　　日		
监理(建设)单位 验收结论		电气监理工程师(建设单位项目专业技术负责人): 　　　　　　　　　　　　　年　　月　　日		

C.2.6 电线、电缆穿管和线槽内敷设检验批质量验收记录表宜符合表 C.2.6 的规定。

表 C.2.6 电线、电缆穿管和线槽内敷设检验批质量验收记录表

工程名称			检验批部位		项目经理	
工程施工单位名称			分包项目经理		专业工长	
分包单位			施工执行标准名称及编号		施工班组长	
序号		施工执行标准的规定			施工单位检查评定记录	监理(建设)单位验收记录
主控项目	1	交流单芯电缆不得单独穿于钢导管内				
	2	不同回路、不同电压等级和交流与直流的电线,不应穿于同一导管内;同一交流回路的电线应穿于同一金属导管内,且管内电线不得有接头				
	3					
一般项目	1	电线、电缆穿管前,清除管内杂物和积水。管内应有保护措施,不进入接线盒(箱)的垂直管口穿入电线、电缆后,管口应密封				
	2	同一建筑物、构筑物内电线绝缘层颜色的选择应一致;保护接地(PE线)黄绿相间;零线淡蓝色;相线 A——黄色,B——绿色,C——红色				
	3	线槽敷线应符合下列规定: 1. 电线在线槽内有一定余量,不得有接头。电线按回路编号分段绑扎,绑扎点间距不应大于 2m。 2. 同一回路的相线和零线,敷设于同一金属线槽内。 3. 同一电源的不同回路无抗干扰要求的线路可敷设于同一线槽内;有抗干扰要求的线路用隔板隔离,或采用屏蔽电线且屏蔽护套一端接地				
施工单位检查评定结果		项目专业质量检验员: 年　月　日				
监理(建设)单位验收结论		专业监理工程师(建设单位项目专业技术负责人): 年　月　日				

C.2.7 电缆桥架安装和桥架内电缆敷设工程检验批质量验收记录表宜符合表 C.2.7 的规定。

表 C.2.7 电缆桥架安装和桥架内电缆敷设工程检验批质量验收记录

工程名称		检验批部位		项目经理	
工程施工单位名称		分包项目经理		专业工长	
分包单位		施工执行标准名称及编号		施工班组长	
序号		施工执行标准的规定		施工单位检查评定记录	监理(建设)单位验收记录
主控项目	1	金属电缆桥架及其支架和引入或引出的金属电缆导管必须接地(PE)或接零(PEN)可靠,且必须符合下列规定: 1.金属电缆桥架及其支架全长应不少于2处与接地(PE)或接零(PEN)干线相连接。 2.非镀锌电缆桥架间连接板的两端跨接铜芯接地线,接地线最小允许截面积不小于 4mm²。 3.镀锌电缆桥架间连接板的两端不跨接接地线,但连接板两端不少于2个有防松螺帽或防松垫圈的连接固定螺栓			
	2	1.电缆敷设不得有绞拧、护层断裂和表面严重划伤等缺陷。 2.绝缘电阻测试必须符合规范第5.2.11条的规定			
一般项目	1	电缆桥架安装应符合下列规定: 1.直线段钢制电缆桥架长度超过30m、铝合金或玻璃钢制电缆桥架长度超过15m设有伸缩节;电缆桥架跨越建筑物变形缝处设置补偿装置。 2.电缆桥架转弯处的弯曲半径,不小于桥架内电缆最小允许弯曲半径,电缆最小允许弯曲半径必须符合规范的要求。			

序号		施工执行标准的规定	施工单位 检查评定记录	监理(建设) 单位验收记录
一般项目	1	3. 当设计无要求时,电缆桥架水平安装的支架间距为 1.5m~3m;垂直安装的支架间距不大于 2m。 4. 桥架及支架间螺栓、桥架连接板螺栓固定紧固无遗漏,螺母位于桥架外侧;当铝合金桥架与钢支架固定时,有相互间绝缘的防电化腐蚀措施。 5. 电缆桥架敷设在易燃易爆气体管道和热力管道的下方,当设计无要求时,与管道的最小净距,必须符合规范的规定。 6. 敷设在竖井内和穿越不同防火区的桥架,按设计要求位置,有防火隔堵措施。 7. 支架与预埋件焊接固定时,焊缝饱满;膨胀螺栓固定时,选用螺栓适配,连接紧固,防松零件齐全		
	2	桥架内电缆敷设应符合下列规定: 1. 大于 45℃,倾斜敷设的电缆每隔 2m 处设固定点。 2. 电缆出入电缆沟、竖井、建筑物、柜(盘)、台处以及管子管口处等做密封处理。 3. 电缆敷设排列整齐,水平敷设的电缆,首尾两端、转弯两侧及每隔 5m~10m 处设固定点;敷设于垂直桥架内的电缆固定点间距,不大于规范的规定		
	3	电缆的首端、末端和分支处应设标志牌		
施工单位 检查评定结果		项目专业质量检查员: 年　　月　　日		
监理(建设)单位 验收结论		电气监理工程师(建设单位项目专业技术负责人): 年　　月　　日		

C.2.8 电缆头制作、接线和线路绝缘测试分项工程检验批质量验收记录宜符合表 C.2.8 的规定。

表 C.2.8 电缆头制作、接线和线路绝缘测试分项工程检验批质量验收记录

工程名称			检验批部位		项目经理	
工程施工单位名称			分包项目经理		专业工长	
分包单位			施工执行标准名称及编号		施工班组长	
序号		施工执行标准的规定			施工单位检查评定记录	监理(建设)单位验收记录
主控项目	1	电缆、线间和线对地的绝缘电阻值应大于 0.5MΩ				
	2	电线、电缆接线必须正确,并联运行电线或电缆型号、规格、长度、相位应一致				
	3					
	4					
一般项目	1	芯线与设备的连接应符合下列规定: 1. 截面积在 10mm² 及以下的单股线直接与设备的端子连接。 2. 截面积在 2.5mm² 及以下的多股铜芯线拧紧搪锡或连接端子后与设备的端子连接。 3. 截面积大于 2.5mm² 的多股铜芯线,除设备自带插接式端子外,接续端子后与设备或的端子连接;多股铜芯线与插接式端子连接前,端部拧紧搪锡。 4. 每个设备的端子接线不多于 2 根电线				
	2	电线、电缆的芯线连接连接管和端子,规格应与芯线的规格适配,且不得采用开口端子				
	3	电线、电缆的回路标记应清晰,编号准确				
施工单位检查评定结果		项目专业质量检查员: 　　　　　　　　　　　年　　月　　日				
监理(建设)单位验收结论		专业监理工程师(建设单位项目专业技术负责人): 　　　　　　　　　　　年　　月　　日				

C.3 分项工程质量验收记录用表

C.3.1 分项工程质量验收记录宜符合表 C.3.1 的规定。

表 C.3.1 分项工程质量验收记录

工程名称		结构类型		检验批数	
施工单位		项目经理		技术负责人	
分包单位		分包单位负责人		分包项目经理/证号	
序号	检验批部位		施工单位评定结果	监理(建设)单位验收结论	
1					
2					
3					
4					
5					
6					
7					
8					
9					
10					
11					
12					
检验结论	项目专业技术负责人： 年 月 日		验收结论	监理工程师： (建设单位项目专业技术负责人) 年 月 日	

C.3.2 设备分部工程质量验收记录宜符合表 C.3.2 的规定。

表 C.3.2 设备分部工程质量验收记录

工程名称		结构类型		层　数	
施工单位		技术部门 负责人		质量部门 负责人	
分包单位		分包单位 负责人		分包技术 负责人	

序号	分项工程名称	检验 批数	施工单位 检查评定	验收意见	
1					
2					
3					
4					
5					
6					
7					
8					

质量控制资料	应查项目		项	核查结果				
安全功能检验 （检测）报告	应查项目		项	核查结果				
观感质量验收	应查项目		项	好：	项	一般：	项	差：	项

验收意见	分包单位	项目经理： 　　　　　年　　月　　日
	施工单位	项目经理： 　　　　　年　　月　　日
	设计单位	项目负责人： 　　　　　年　　月　　日
	监理（建设）单位	总监理工程师： （建设单位项目专业负责人） 　　　　　年　　月　　日

C.3.3 管道分部工程质量验收记录宜符合表 C.3.3 的规定。

表 C.3.3 管道分部工程质量验收记录

工程名称		结构类型		层 数	
施工单位		技术部门 负责人		质量部门 负责人	
分包单位		分包单位 负责人		分包技术 负责人	

序号	分项工程名称	检验 批数	施工单位 检查评定	验收意见	
1					
2					
3					
4					
5					
6					
7					
8					
9					
10					

质量控制资料	应查项目	项	核查结果				
安全功能检验 （检测）报告	应查项目	项	核查结果				
观感质量验收	应查项目	项	好：	项	一般：	项	差： 项

验收意见	分包单位	项目经理： 年　月　日
	施工单位	项目经理： 年　月　日
	设计单位	项目负责人： 年　月　日
	监理（建设）单位	总监理工程师： （建设单位项目专业负责人） 年　月　日

C.3.4 电气分部工程质量验收记录宜符合表 C.3.4 的规定。

表 C.3.4　电气分部工程质量验收记录

工程名称		结构类型		层　数	
施工单位		技术部门 负责人		质量部门 负责人	
分包单位		分包单位 负责人		分包技术 负责人	

序号	分项工程名称	检验 批数	施工单位 检查评定	验收意见		
1						
2						
3						
4						
5						
6						
7						
8						

质量控制资料	应查项数		项	核查结果		
安全功能检验 (检测)报告	应查项数		项	核查结果		
观感质量验收	应查项数		项	好：　　项	一般：　　项	差：　　项

验收意见	分包单位	技术、质量负责人： 项目经理：　　　　　　　年　　月　　日
	施工单位	技术、质量负责人： 项目经理：　　　　　　　年　　月　　日
	监理(建设)单位	电气监理工程师： 总监理工程师： (建设单位项目专业负责人)　　年　　月　　日

C.4 系统运行测试报告

C.4.1 系统运行测试应在系统的试运行正常后进行,测试周期应符合本规范第6.3.1条的规定。

C.4.2 系统运行测试完成后,应填写表C.4.2。

表C.4.2 系统运行测试报告

工程名称				建设单位		
施工单位				测试单位		
测试项目				测试仪器		
检定号				检定有效日期		

序号	检测部位	单位	设计值	实测值	测试方法	测试人

测试检查意见: 项目技术负责人: 　　　　年　　月　　日	验收结论: 监理工程师: (建设单位项目专业负责人) 　　　　年　　月　　日

本规范用词说明

1 为便于在执行本规范条文时区别对待,对要求严格程度不同的用词说明如下:

1)表示很严格,非这样做不可的:

正面词采用"必须",反面词采用"严禁";

2)表示严格,在正常情况下均应这样做的:

正面词采用"应",反面词采用"不应"或"不得";

3)表示允许稍有选择,在条件许可时首先应这样做的:

正面词采用"宜",反面词采用"不宜";

4)表示有选择,在一定条件下可以这样做的,采用"可"。

2 条文中指明应按其他有关标准执行的写法为:"应符合……的规定"或"应按……执行"。

引用标准名录

《电气装置安装工程电缆线路施工及验收规范》GB 50168

《工业金属管道工程施工质量验收规范》GB 50184

《钢结构工程施工质量验收规范》GB 50205

《机械设备安装工程施工及验收通用规范》GB 50231

《工业金属管道工程施工规范》GB 50235

《建筑工程施工质量验收统一标准》GB 50300

《建筑电气工程施工质量验收规范》GB 50303

《特种气体系统工程技术规范》GB 50646

《生活饮用水标准检验方法　感官性状和物理指标》GB/T 5750.4

《电子级水电阻率的测试方法》GB/T 11446.4

《电子级水中痕量金属的原子吸收分光光度测试方法》GB/T 11446.5

《电子级水中二氧化硅的分光光度测试方法》GB/T 11446.6

《电子级水中痕量氯离子、硝酸根离子、磷酸根离子、硫酸根离子的离子色谱测试方法》GB/T 11446.7

《电子级水中总有机碳的测试方法》GB/T 11446.8

《电子级水中微粒的仪器测试方法》GB/T 11446.9

《电子级水中细菌总数的滤膜培养测试方法》GB/T 11446.10

中华人民共和国国家标准

电子工业纯水系统安装与验收规范

GB 51035 - 2014

条 文 说 明

制 订 说 明

《电子工业纯水系统安装与验收规范》GB 51035—2014,经住房城乡建设部 2014 年 12 月 2 日以第 590 号公告批准发布。

本规范制订过程中,编制组进行了深入调查研究,总结了国内同行业的实践经验,同时参考了国外先进技术法规,广泛征求了国内设计、生产、检测、计量、研究等有关单位的意见,最后制定出本规范。

为便于广大设计、施工、科研、学校等单位有关人员在使用本规范时能正确理解和执行条文规定,《电子工业纯水系统安装与验收规范》编制组按章、节、条顺序编制了本规范的条文说明,对条文规定的目的、依据以及执行中需要注意的有关事项进行了说明,着重对强制性条文的强制性理由作了解释。但是,本条文说明不具备与规范正文同等的法律效力,仅供使用者作为理解和把握规范规定的参考。

目　　次

1 总　则

1.0.1　本条阐明了制定本规范的目的。随着电子、液晶显示器、太阳能等行业的发展,其生产工艺中对于清洗用水及配制各种溶液用水的水质提出了更高的要求,而微电子行业约有 80% 的工序需要用超纯水做清洗,水质的好坏与集成电路产品的质量及成品率的高低有着很大的关系,集成电路产业发展到超大规模集成电路阶段时,水质更成为提高集成度的主要因素。为规范电子工业纯水系统安装工程的施工管理,统一工程施工质量的验收,保证工程质量,制定本规范。

1.0.2　本条明确了本规范的适应范围。本规范的适应范围是电子工业纯水系统的安装及验收,它是以微电子、液晶显示器、太阳能等行业的各类纯水系统安装的实践经验为基础制定的,电子工业其他行业的纯水系统的安装及验收可参照本规范执行。

　　同时,近年来作为节水措施发展起来的纯水回收系统,也是收集生产工艺及水处理单元的优质排水,再采用部分合适的处理装置处理后,作为纯水系统的一部分原水再加以利用,此类回收系统也作为电子工业纯水系统的一部分包含在本规范内。

1.0.3　本条强调了纯水系统的施工及变更应执行、遵照的原则,明确了责任的主体。工程施工是让设计意图变为实物,但施工现场的情况复杂,施工图纸可能存在与现场实际不相符的情况,需要修改图纸,要修改图纸应有设计单位的正式变更手续,这是工程质量的重要保证。

1.0.4　电子工业纯水系统工程安装及验收,涉及的设备、专业的工程技术较多,国家现行标准已有规定的应执行相关标准的规定,本规范不再重复,本规范只对电子工业纯水系统工程安装及验收的特殊要求作出了新的规定,因此本条文明确了除应执行本规范的规定外,尚应符合国家现行的有关标准、规范的规定。这里所述的国家现行有关标准是指现行的国家标准和行业标准中的标准、规范、规程的统称。

2 术语和缩略语

本章列出了本规范各章节中引用的 15 个术语及 16 个缩略语。

对于术语,从本规范的角度解释了其相应的含义,但不一定是术语的定义,同时对中文术语也给出了相应的英文术语,但不一定是国际上的标准术语。

本章所列缩略语是纯水系统常见的设备、材料、水质指标的名称缩写,并给出了相应的英文全称,供参考。

对于洁净 PVC 管,国外一些纯水工程公司习惯缩写为 CPVC,但在我们国家,CPVC 为氯化聚氯乙烯的缩写,已经在工程界广泛应用,所以为避免混淆,本规范规定洁净 PVC 的缩写为 Cl - PVC。

2.1.5 电脱盐装置是由若干个模块组成,因模块采用的品牌不同,有 EDI 和 CEDI 两种缩写名称,模块目前有 GE 和 SIMENS 两种品牌,采用 GE 品牌模块的装置习惯上称为 EDI,采用 SIMENS品牌模块的装置习惯上称为 CEDI,本规范统一采用 EDI 作为电脱盐装置的缩写名称。

2.1.9 在电子工业纯水系统中,膜脱气装置脱除的溶解性气体主要是 CO_2、O_2。

3 设备安装

3.1 一般规定

3.1.1 纯水系统施工(包括设备安装)属专业性的机电安装项目,涵盖的设备、材料种类多且全,密度大,在我国起步比较晚,为保证施工顺利实施及施工质量,必须按照机电安装项目的要求有相应的施工资质,具备相应的安全、质量管理制度。

3.1.2 与设备安装相关的专业很多,包括土建、设备制造、管道、电气等,各专业间应按规定的程序进行交接,并形成书面的质量记录,才能确保各工序的质量。

3.1.3 设备的质量合格证明文件及安装、使用和维护说明书等随机文件,既是设备的质量保证,也是设备安装、使用和将来进行设备运行维护的技术性指导文件,必须加以重视。

3.1.4 设备基础的尺寸、坐标位置、标高、平整度等经检查符合要求后移交给下道工序——设备安装,这样才能保证设备安装的安装质量指标。

3.1.5 纯水系统要求环境清洁,运行需要的药品有腐蚀性,因此要求地面做环氧涂层或 FRP 涂层,而设备安装后,部分区域特别是设备基础的环氧涂层、FRP 涂层可能无法施工,从而影响环境的清洁或耐腐蚀性能。因此要求设备安装前,设备基础应先完成环氧涂层、FRP 涂层施工或环氧涂层、FRP 涂层的底层施工。

3.1.6 纯水系统的设备有玻璃钢罐、碳钢衬里罐,也有由多种组件组装的设备,还有水泵等,每种设备材质、形状、易碎程度等多不一样,因此搬运及吊装必须根据产品的相关要求,采取不同的搬运、吊装方式,同时做好设备的保护措施,避免因搬运及吊装而造成对设备的损伤。

3.1.7 纯水系统的设备,要求内部干净,还有部分要求对内部做脱脂处理,这些工序在设备出厂前已完成,出厂时开口是密封的。为保证系统的综合性能达标,规定设备在进行接口配管前禁止打开,避免灰尘等污染设备内部。

3.1.8 设备就位后要求做好标识及保护,目的是提醒现场人员注意,防止疏忽及意外损坏设备的易碎部件。

3.1.9 紫外线杀菌装置及紫外线除 TOC 装置是利用安装在装置内的灯管产生的紫外线照射,达到杀灭水中的细菌或降解水中的 TOC 的目的,装置的进出口安装不锈钢材质的 L 型或 S 型管路后,避免了紫外线直射,造成管路的老化,也可减少对水质的影响,所以要求 L 型或 S 型管路的材质采用不锈钢。

3.1.10 电子工业纯水系统的设备安装属于机械设备安装的一部分,除设计和本规范提到的特殊要求外,其他施工要求与《机械设备安装工程施工及验收通用规范》GB 50231 相同,所以通用施工要求及质量验收标准同样适用。

3.2 非金属设备安装

3.2.2 电子工业纯水系统的非金属设备如玻璃钢罐、PVC 材料制作的水箱、塔、槽等设备脆性大易裂,在搬运、吊装、安装时采用铁制工具敲打设备本体,可能导致设备开裂,因此,本条规定非金属设备搬运、吊装、安装时不应采用铁制工具敲打设备本体,以保证设备的质量。

Ⅰ 主 控 项 目

3.2.5 对于玻璃钢材料及其他塑性材料制作的水箱、塔、槽、内衬 PVDF 的水箱,因为材料脆性大及受附着力影响的原因,在搬运、安装过程中,受外力作用设备容易发生开裂、变形、内衬与桶本体脱离等现象,影响水箱的质量,从而影响到系统的运行,特别是对于内衬 PVDF 材料的水箱,在电子工业纯水系统可能是装腐蚀性很强的药品的桶体或是超纯水水箱,PVDF 内衬脱离桶体本体后,桶体强度受到破坏,进而导致桶体受到破坏,桶内液体就会受到污染,甚至是外泄,从而危害周边环境或操作人员。因此本条文明确规定水箱安装后,桶体的外表不得有开裂、变形、破损、内衬 PVDF脱离的现象。

3.2.6 平底非金属设备如玻璃钢罐,脆易裂,当设备基础不平整时,罐体装满液态介质后,平底设备底板易出现裂纹,引发罐体出现泄漏现象。为缓冲基础平整度带来的不利,所以要求设备底部垫橡胶板或细砂类材料来找平,同时考虑到细砂的流动性,起不到对设备的保护作用,所以要求在采用细砂时,应设置相应的固砂措施,避免细砂的流动。

Ⅱ 一 般 项 目

3.2.8 非金属设备材料本身强度偏小,安装时采用螺母紧固若过紧,易使设备固定部位开裂,反之,则设备运行时螺母易松脱。本条规定设备安装的紧固螺母采用双螺母,第一个螺母不应拧得过紧,以防止螺母压裂设备固定部位,采用第二个螺母拧紧可防止第一个螺母没有拧紧时松脱。

3.2.9 本条主要是针对底部垫橡胶板的平底非金属设备,因其底部边缘均有一定的弧度,导致设备底部边缘部位与地面都会有缝隙,当有硬物进入此部位后,设备内注入水或药品等就可能造成设备底部局部破裂,从而引发泄漏事故发生,因此为了更有效地保护设备,本条要求在设备与基础地面的缝隙处采用密封胶等柔性材料填实。

3.2.10 本条规定了非金属设备安装的允许偏差及检查方法。

本规范中设备安装列举的检查项目及允许偏差是参照国家现行标准《机械设备安装工程施工及验收通用规范》GB 50231 的要求,并参考欧美一些水处理工程公司的标准,结合多年的实际经验总结得出的,为电子工业纯水系统的设备安装提供了具有可操作性的检验标准和检查方法。

3.3 碳钢设备安装

3.3.1 本条明确了本节适用的安装及质量验收设备的范围。

3.3.2 电子工业纯水系统的碳钢设备内部一般均衬胶或刷环氧涂料,设备在搬运、吊装、安装时,采用铁制工具敲打设备本体,可能导致设备衬里或是环氧涂料的脱落,损坏设备的质量,因此,规定不应采用铁制工具敲打设备本体,以保证设备的质量。

Ⅰ 主 控 项 目

3.3.3 检查碳钢设备内涂或内衬质量,对保证设备质量乃至后续的纯水系统正常运行非常重要,因此在碳钢设备进场后,必须每台检查,同时对每台检查的面也要严格要求,应尽量做到全面检查,但考虑到仪器本身的检查局限性,做到百分之百检查可能很难保证,此时可采取先观察检查,选取质量可能有问题或是容易产生质量问题的区域进行重点检查,其他区域抽查。比如检查内衬质量的电火花测试仪属于面接触式检查,采用此仪器检查质量应百分之百检查,而检查内涂厚度的测厚仪属于点接触式检查,百分之百检查不具有可操作性,应选取质量可能有问题或是容易产生质量问题的区域进行重点检查,其他区域抽查。

电火花测试的电压应根据内衬厚度,按照 3kV/mm 的标准来选定,过高对内衬造成破坏,过低达不到检测的目的。

3.3.5 纯水系统所处的环境较潮湿而且可能有一定的腐蚀性,碳钢设备的底板长期处于这一类的环境中,容易生锈及发生腐蚀,在底板的周边打密封胶密封后,水或腐蚀性的介质不易进入,对设备的底板起到一定的保护作用,因此本条的第 3 款规定碳钢设备安装后底板周边应打密封胶密封。

3.3.6 本条规定的目的是防止高温破坏设备的衬里,所以在附件、平台、梯子等与设备本体连接时,均不得采用电焊等产生高温的方式。

3.3.8 设备安装固定采用双螺母的目的,是防止设备运行时设备的振动引起螺母松脱。

3.4 不锈钢设备安装

3.4.2 本条规定设备搬运及吊装时采用软体物品及尼龙类软性吊带,目的是防止硬质材料或工具刮伤不锈钢设备表面。

Ⅰ 主 控 项 目

3.4.3 纯水系统中,不锈钢设备一般设置在系统的精处理区域或与精处理区域相关的动力供给系统。按照电子工业纯水系统的水质要求,精处理区域水质对电阻率、颗粒度、TOC 等有很高的要求,对应的要求与产水接触的设备等的表面处理、内部焊缝、脱脂处理、内表面干净程度都会有相应的要求,否则可能会因为设备的处理没有达到水质要求,从而对水质产生二次污染,影响系统的处理效果。因此规定了不锈钢设备的主控项目应符合设计及相应规范的要求。

3.4.4 本条规定设备内附件及连接用螺丝的材质应与设备本体材料一致的目的,是防止不同材料接触发生电腐蚀,影响设备的质量。

3.5 泵及风机安装

Ⅰ 主 控 项 目

3.5.3 纯水系统中,在不同的处理阶段,根据水质要求的不同,输送介质的水泵也会有对应的技术指标要求,而对于系统终端输送纯水的水泵,出于对系统最终出水水质指标 TOC 达到设计要求的考虑,均有脱脂要求,目的是避免水泵与纯水的接触面含有油脂,从而在输送纯水时,油脂进入纯水中,对水质产生二次污染。因此本条文强调水泵有脱脂要求时,其脱脂清洗处理应符合设计文件要求。

3.5.7 本条对水泵的安装质量验收作出了规定。

本条第 1 款规定固定螺栓材质应符合设计文件要求。水泵固定螺栓材质应根据区域不同采用不同的材质,比如药品区腐蚀性强,应该采用耐腐蚀的材料或安装后做防腐处理。

本条第 2 款规定带减震器的水泵,只有减震器与水泵及水泵基础连接牢固、平稳,才能起到减震效果。

3.5.9 本条文对风机的安装质量验收作出了相应规定。

本条第 1 款规定纯水系统中的风机进风口设置简易过滤网,目的是过滤空气中的灰尘,以避免灰尘进入处理系统中,增加处理负荷,影响处理能力。

本条第 2 款规定风机安装应设置减震器,目的是考虑到风机运行时震动大噪音大,安装时设置减震器减少震动。

3.6 组装式设备安装

3.6.1 本条明确了本节适用的安装及质量验收设备的范围。

3.6.3~3.6.5 这 3 条规定的目的是为了减少前道工序的不合格给后道工序增加负荷,影响处理效能及设备使用寿命。

3.6.6 电脱盐装置的运行机理是在电场的作用下,水中的阴、阳离子向模块的阴、阳两极室归集,从而达到去除水中的阴阳离子的目的,因此装置在运行时,与模块连接的进、出口管路易带电,为保证操作人员人身安全和设备运行安全,本条文强调了进、出口管路必须接地可靠,避免因漏电而造成人身及设备安全事故。本条为强制性条文,必须严格执行。

3.6.7 纯水系统中有部分装置本体自带配电盘或仪表盘,如电脱盐装置 EDI,运行时属带电设备,只有接地可靠才能确保人身安全。本条文强调了装置本体自带的配电盘或仪表盘接地必须可靠,避免因漏电而造成人员触电事故。本条为强制性条文,必须严格执行。

3.7 其他设备安装

3.7.1 本条明确了本节适用的安装及质量验收设备的范围。

Ⅰ 主 控 项 目

3.7.3 电子工业纯水系统的搅拌装置由电机、连接键、机架、搅拌轴、搅拌桨叶五部分组成,安装时需要把装置的上半部电机、连接键、机架安装在搅拌机台座上,搅拌机台座的水平度及搅拌轴垂直度的精度,决定着搅拌装置运转的阻力大小,水平度及垂直度偏差越大运转阻力越大,装置运转时间长后电机过热会导致电机烧毁,从而影响装置的运转寿命。因此本条文把搅拌装置的搅拌机台座水平度及搅拌轴垂直度两项列为安装的允许偏差主控项目。

3.7.4 对于热交换器,在进行管路连接施工时主要需要注意两个问题:一个是冷源、热源的进口、出口不能接错;另一个是当管路需进行焊接作业时,要求将焊接地线搭接在焊接管路上,以避免焊接电流通过热交换器而导致热交换器损坏。

4 配管工程

4.1 一般规定

4.1.1 本条明确了本章适用的安装及质量验收范围。

4.1.2 纯水系统中涉及的阀门,从类型上可以分手动和气动蝶阀、球阀、隔膜阀等;从材质上分铸铁、碳钢、不锈钢、PVC、衬 PT-FE 等;从功能上可以分常规管路开启的、氮封的、调节流量或平衡流量。系统中根据管路介质、水质要求、实现功能等不同选择不同的阀门,为保证系统的正常运行及产水的水质,施工过程中应严格按照设计图纸要求,正确的安装阀门,不能错用、换用。

管材包括不锈钢、PVC、Cl‐PVC、PP、PVDF 等,每种管材的耐酸碱及腐蚀性能、洁净度、杂质的析出率等均不一同,对水质的影响也不同,因此设计会根据输送介质的性能、纯水处理系统的每个阶段输送的水质要求,选择管材,为保证系统的正常运行及产水的水质,施工过程中同样应严格按照设计图纸要求,正确地选用管材,不能错用、换用。

4.1.3 纯水系统的配管材料种类繁多且有着各自的操作规程,如 PVC 管、Cl‐PVC 管、PP 管、PVDF 管,而 PP 管、PVDF 管还需要使用配套的焊接机具,为保证施工质量,上述配管的安装施工均需要经过对应材料、机具的操作技能培训且经考核合格,方可上岗;而金属管道的焊接作业属特殊作业工种,操作人员必须具有相应的资格证书,并在其认可的资格范围内进行焊接作业。

4.1.4 纯水系统处理工艺中,为使处理设备有更好的处理效果或者说增强处理效果,会在某些阶段加入一些化学药品,如 HCL、NaOH、PAC(絮凝剂)等,不同的药品性能不一样,对输送材质的要求包括垫片、施工方法等都有不同,设计文件应都有相应的要求,施工包括选择材料都应符合设计要求。对于 HCl、NaOH 这类酸碱药品,尽管浓度不高(一般不超过 30%),不会危及人身生命及设备的安全,但因有一定的腐蚀性,泄漏时还是会对人体及周边设备造成一定的损害,因此本条还是要求对一些敷设在人行通道上方的酸碱管路设置相应的防护措施,最大限度地避免可能造成的损害。至于防护方法应本着节约成本,同时又能起到防护作用的理念去考虑。本条为强制性条文,必须严格执行。

4.1.5 纯水的水质指标之一是颗粒度,为保证产水的颗粒度满足生产工艺需求,就要求系统的设备、材料内部干净,同时要求在施工过程中设备、材料内部不被二次污染,对于配管施工而言,这就需要在配管,特别是有洁净要求的管路,如 Cl - PVC 管道、PVDF 管道施工的时候,配管区域应保持没有大量产生灰尘的施工,以减少施工过程中管道内部的灰尘进入。

4.1.6 本条对系统管路的压力试验作出了规定。按照通用规范要求,当管路输送介质为液体时,采用水压试验,气体管路采用气压试验,但对于输送纯水的管路,管道材料有一定的洁净要求,采用普通的自来水作水压试验,对管路材料有污染,采用与输送介质同品质的水来作压力试验介质,对新建的系统来讲,施工时尚不具备条件,为防止施工过程污染,本条规定采用纯度不低于 99.99% 的高纯惰性气体作为试验介质,既解决了管路污染问题,也解决了管路压力试验问题,但考虑到电子工业纯水系统的管路塑料材料居多,脆性大,为保证试压过程中的安全,试验压力不应超过 0.3MPa。

4.2 共用管架安装

4.2.1 本条明确了本节适用的安装及质量验收的范围。

Ⅰ 主 控 项 目

4.2.5 钢材、焊接材料、作为永久性连接件的螺栓均为共用管架的重要组成部分,对管架的强度起着至关重要的作用,为保证管架的强度,本条明确要求管架采用的钢材、焊接材料、作为永久性连接件的螺栓的规格、型号及性能等应按设计要求选用,同时应符合现行国家产品标准。

Ⅱ 一般项目

4.2.9 电子工业纯水系统中,共用管架作为系统管路集中布置的部位,布置的管路多、集中荷载多,共用管架每道工序的施工质量都将影响系统的安全运行,焊接质量的不好或锚固不牢均会影响管架的强度,从而影响管路的安全,因此本条第1、2款对共用管架与建筑结构的连接作出相应的规定。

本条第2款规定管架安装尺寸偏差数据,主要是根据管架的主要功能是布置管路,由管路安装的允许偏差来决定的。

4.2.10 本条对共用管架的涂装作出了规定。第1款~第3款规定管架涂料应采用环氧类涂料及涂装遍数、涂层厚度,主要是考虑到纯水系统的化学药品种类很多,如 HCL、NaOH 等,大多数具有一定的腐蚀性,共用管架的涂装涂料采用环氧类涂料并保证厚度,可以增强及保证共用管架的耐腐蚀性能。

4.3 碳素钢管道安装

4.3.1 本条明确了本节适用的安装及质量验收的管道种类。

4.3.2~4.3.6 在电子工业纯水系统,碳素钢管道主要用于系统辅助的动力配管或系统的前端配管中,如冷热水及蒸汽配管、反洗及曝气用压缩空气配管、仪表用压缩空气配管、原水配管等,对系统的影响小,在管道的安装方面也没有特殊要求,原则上符合现行国家标准《工业金属管道工程施工质量验收规范》GB 50235 的要求即能满足系统的使用要求,因此本节中主控项目、一般项目均执行该规范的规定。

4.4 不锈钢管道安装

4.4.1 本条明确了本节适用的安装及质量验收的管道种类。

4.4.3 电子工业纯水系统的终端，因工艺需求可能对作为纯水箱氮封输送氮气的管路会有洁净要求，为满足洁净要求，这部分管路可能会采用不锈钢酸洗管（BA 管）或不锈钢内壁电抛光管（EP 管），而 BA 或 EP 管属于处理过的洁净管材，对相应的施工有产品自身的一些规定，严格遵照其预制、焊接、安装的规定操作才能保证施工质量，因此本条规定对这部分管路的预制、焊接、安装应符合产品的相关规定。

Ⅰ 主 控 项 目

4.4.4、4.4.5 这两条规定参照《工业金属管道工程施工质量验收规范》GB 50235 的要求，对不锈钢管的切割、焊接作了相应的规定，但有两点需着重强调：第 4.4.4 条第 1 款也是随着施工机具的发展，出现了新的适合管道切割的机具，并且在实际操作中总结得出切割过程中产生的污染少且易清理，因此本款建议管道切割宜采用机械割刀或不锈钢带锯切割，而对于一些传统切割工具如等离子切割机，因易在管道内外表面产生残渣，对处理水质产生不利影响，明确规定不得使用；第 4.4.5 条第 2 款的目的是保证管道内壁焊缝的质量，保证管内壁焊缝平滑，水中的杂质在水流作用下不易积淀，从而减少细菌在管内壁的滋生，影响水质。

4.4.6、4.4.7 这两条规定主要参照 BA、EP 管材料的要求对施工作的规定。BA、EP 管为洁净不锈钢薄壁管道，出厂时管内部均做了包括表面粗糙度、无油、无尘等处理，因此在管道施工时包括破口、焊接、充气、施工保护都应严格遵照产品的相关规定实行，才能保证焊接质量及洁净要求。

4.5 PP 管道安装

4.5.1 本条明确了本节适用的安装及质量验收的管道种类。

4.5.2、4.5.3 PP 材料，国外品牌主要有 GF＋及 ARGU，国内也有个别厂家生产，均采用热熔焊接，但不同的品牌均有配套的焊机及对应的焊接操作规程，因此在焊接作业时，必须参照所使用的产品,采用相应的焊机及技术规程,同时为保证焊接质量,每个品牌的厂家都会在焊接施工前,对参与焊接操作的作业人员进行相应的焊接作业培训,培训结束后进行考核,合格后发证方允许进行焊接作业。

4.5.4 PP管出厂时,其内表面是经过清洗处理并密封包装好,焊接作业环境或施工现场清洁,避免了施工时打开包装污染材料,而焊接作业是利用PP焊机的加热板加热熔融管材的黏结端面来实现管道与管道或与管件的对接,焊接作业的场所不干净,污染材料的同时也将污染加热板,导致加热板加热不均匀,影响黏结端面的熔融效果,影响PP管的对接强度,从而影响管路的运行稳定。

Ⅰ　主控项目

4.5.5 本条对PP管道的切割机具及切口要求作出了规定。

4.5.6、4.5.7 这两条对PP管道热熔焊接作出了规定。PP材料的热熔焊接,GF＋、ARGU及国内生产的材料均有相应的技术标准,实际操作时除了应遵守本条文的要求外,还应参照产品的相关规定执行。

Ⅱ　一般项目

4.5.9 本条对PP管道的安装作出了相应的规定。管道的安装首先应考虑到方便后续的运行维护,因此对于管道伸缩节、接头或焊缝等容易产生泄漏或断裂的地方,规定不设置支(吊)架或是留出一定的净距,基于同样的原因焊缝、接头也不得设在套管内,以便于维修时有操作空间。

PP管道属于塑性材料,与支(吊)架之间长期摩擦,管材表面易产生划痕,填入柔性材料后,管材与支(吊)架隔离,避免了摩擦而产生划痕。塑性材料强度相对偏弱,对于管道上的阀门等集中荷载单独设置支架支撑,把荷载转向由支架承载,避免了荷载集中于管道上。

对于管道安装的支架设置间距,如碳素钢管、不锈钢管,国内的设计规范、验收规范均有相应的规定,但对于PVC、PP、Cl-

PVC、PVDF 这类塑性材料,设计规范及验收规范还没有完整的涉及,而设计文件有些可能有规定,也有很大一部分工程的设计文件没有提及,根据多年工程实例的经验及参照国内外此类材料的技术要求,本条及 PVC 管道、Cl－PVC 管道、PVDF 管道安装的对应章节里,对管道的支吊架间距作了规定。在电子工业纯水系统的管道安装中,当设计文件对管道支吊架的间距没有明确要求时,应参照本条及 PVC 管、Cl－PVC 管、PVDF 管的对应条款的规定。

同时,表中的使用温度为该类材料正常使用所允许的温度范围,为保证管路的正常运行,温度过高不适宜采用该类材料,过低时如管路输送介质为水,环境温度为 0℃ 以下,会引起管路冻裂,应考虑采用保温措施保证使用温度,但与管路的支吊架设置间距无因果关系,因此此类情况仍按照管路(包括 PP、PVC、Cl－PVC、PVDF 管)系统的使用温度来确定支吊架间距。

4.6 PVC 管道安装

4.6.1 本条明确了本节适用的安装及质量验收的管道种类。

4.6.2 目前,PVC 材料品牌很多,生产的标准也有所不同,有GB、JIS、美标等多种标准,不同标准的材料尺寸上特别是管道外径有差异,管材、附件采用不同品牌的产品,就可能产生两者不配套,在进行粘接作业时就会产生太松或是管道不能插入到管件内,影响施工作业。同时,不同品牌的 PVC 材料的性能也会有差异,粘接所使用的胶水也会有所不同,为了保证粘接质量,本条文规定采用配套供应或得到管材生产厂家的认可的产品。

4.6.4 PVC 管道粘接所使用的黏结剂及清洗剂均为易燃危险品,同时散发的气味对人体有一定的危害性,为了保证施工安全及减少对人体的危害,本条文明确 PVC 粘接场所严禁明火,且通风应良好,集中操作场所应设排风设施,以降低散发在作业场所内的气体浓度。

4.6.6 本条对 PVC 管道的粘接作出了规定,同时也明确了符合本条规定的同时,还应遵守所使用材料生产厂家的施工要求,这也是考虑到 PVC 不同品牌间,性能、技术要求等有一定的差异,对施工的要求必然有所不同。

Ⅱ 一 般 项 目

4.6.7 本条规定的目的同本规范第 4.5.9 条的说明。

4.7 Cl-PVC 管道安装

4.7.1 本条明确了本节适用的安装及质量验收的管道种类。

4.7.2、4.7.3 Cl-PVC 管为洁净 PVC 管道,管材及管件的内表面均做了脱脂处理,出厂时均采用干净塑料布封装好,为保证材料的洁净,规定材料到场时,其外包装应完整无破损;搬运及存放时也应采取措施加强保护,避免外包装被破坏,使得管及管件内部被二次污染,影响使用。

4.7.4 本条规定的目的同本规范第 4.6.4 条的说明。

4.7.5 Cl-PVC 管道在施工过程中,同样也需要采取措施防止二次污染,因此规定作业人员在进行粘接作业时,应穿着干净的服装,佩戴防尘手套,作业的工具应干净。

在电子工业纯水系统中,Cl-PVC 材料基本为系统纯水或超纯水的输送管路,材料的品质为关键,但施工的质量同样影响水质及系统的运行,作业人员只有经过操作培训且合格,熟悉了施工准备及切割、粘接等施工过程的要求,才能保证施工品质。

Ⅰ 主 控 项 目

4.7.6 本条对施工所使用的材料包括粘接材料作出了规定。Cl-PVC 材料同样品牌很多,不同的品牌生产的标准也有所不同,不同标准的材料尺寸上特别是管道外径有差异,管材、附件采用不同品牌的产品,就可能产生两者不配套,在进行粘接作业时就会产生太松或是管道不能插入到管件内,影响施工作业。同时,不同品牌的 CPVC 材料,材料的性能也会有所差异,粘接所使用的胶水也会有所差异,为了保证粘接质量,本条文规定采用配套供应或管材生产厂家指定的产品。

4.7.7 本条对 Cl‑PVC 管道的安装作出了规定。Cl‑PVC 管材、管件为脱脂处理材料,在切割、倒角等作业过程中,作业人员可能接触管材、管件的内部,易产生二次污染包括油渍污染,为减少此类污染,作业人员在安装整个过程中必须戴防尘手套,不得徒手接触管材、管件的内壁。

同时管道切割后,管道切口端的内、外会产生锯屑、毛刺等杂物,应采用倒角器来清除,而在切割、倒角的过程中,将会污染管道的端口内壁,因此本条文规定切割、倒角完成后使用专用清洗剂、洁净布对管端内、外壁进行擦拭,目的是为了清理作业过程中产生的污染。

4.7.8 本条第 2 款中的加力保持时间,冬季因黏结剂固化时间长,加力保持时间应取上限 2min,而夏季,因为环境温度较高,粘接剂的固化时间相应也短,加力保持时间可取下限 1min 即能达到粘接强度要求。

Ⅱ 一 般 项 目

4.7.12、4.7.13 这两条规定的目的同本规范第 4.5.9 条的说明。

4.8 PVDF 管道安装

4.8.1 本条明确了本节适用的安装及质量验收的管道种类。

4.8.2 本条规定了 PVDF 管道焊接加工的环境标准。在电子工业纯水系统中,PVDF 管道主要用于半导体行业纯水系统终端输送超纯水,按照国际上常用的标准,电子工业级超纯水系统水质指标中的电阻率及颗粒度通常要求为:电阻率大于或等于18.2MΩ·cm at 25℃、大于 $0.05\mu m$ 粒径的颗粒小于 1pcs/mL,而为了实现这两个指标,就需要从选材、焊接过程、安装过程等几个环节控制好与超纯水接触的管内表面的洁净程度,减少甚至是杜绝人为因素影响管路输送的超纯水水质。

选用 PVDF 材料已从选材上符合了水质要求,就需要从下道工作-施工过程(包括环境)中尽可能地控制好管内表面的洁净程度,以满足输送超纯水要求,总结近年来半导体工厂 PVDF 管道焊接及运行的经验,参照 PVDF 材料厂商的技术要求,洁净度为 7 级的预制间或洁净室与 PVDF 管道输送的超纯水使用环境比较接近,PVDF 管道焊接加工在此环境内进行,管路的施工品质对管路输送超纯水的纯度有保障且相对经济。

4.8.3、4.8.4 这两条对 PVDF 管道焊接作业人员及焊接作业过程的要求作出了规定。目前,PVDF 材料主要有 GF＋及 ARGU 两种,两者各自有相配套的热熔焊机,不通用,同时焊接操作有各自的要求,为保证焊接质量,本条文明确了焊接作业人员必须参加与材料品牌相对应的焊接培训并考核合格。

4.8.5 纯水系统中采用的 PVDF 管材、附件均有洁净要求,材料到场时均需密封包装,为保证材料在使用时不被二次污染,本条文规定材料的包装应完整,在进行焊接加工或现场组装前不得拆除外包装。

Ⅰ 主 控 项 目

4.8.8 本条对 PVDF 管道的切割机具及切口要求作出了规定。

4.8.9、4.8.10 这两条对管道热熔焊接作出了规定。PVDF 材料的热熔焊接,GF＋及 ARGU 两种材料均有相应的技术标准,实际操作时除应遵守本条文外,还应参照产品的相关规定执行。

Ⅱ 一 般 项 目

4.8.13 本条对 PVDF 管道的安装作出了相应的规定。管道的安装首先应考虑到方便后续的运行维护,因此对于管道伸缩节、接头或焊缝等容易产生泄漏或断裂的地方,建议不设置支(吊)架或留出一定的净距,焊缝、接头不设在套管内,以便于维修时有操作空间。

PVDF 管道属于塑性材料,与支(吊)架之间长期摩擦,管材表面易产生划痕,填入柔性材料后,管材与支(吊)架隔离,避免了摩擦而产生划痕。塑性材料强度相对偏弱,对于管道上的阀门等集中荷载单独设置支架支撑,把荷载转向由支架承载,避免了荷载集中于管道上。

PVDF 材料的两种品牌 GF＋及 ARGU,提供的技术标准中均有支吊架间距设置的要求,在实际执行中,应把两者提供的数据与表 4.8.13 比照,以要求高者为标准实施。

5 电气工程

5.1 一般规定

5.1.1 本条明确了本章适用的安装及质量验收的范围。

5.1.6 电子工业纯水系统的电气安装属于一般机电电气安装工程的一部分,除设计和本规范提到的特殊要求外,其他施工要求与国家现行标准《电气装置安装工程电缆线路施工及验收规范》GB 50168和《建筑电气工程施工质量验收规范》GB 50303 相同。

5.2 电气桥架及配管配线

5.2.1、5.2.2 在纯水电气系统施工中,桥架一般是选用钢制桥架,根据使用位置区域的不同,表面的处理方式是不一样的,室外桥架一般是要选用热镀锌桥架,防腐蚀效果会比较好,但是为了桥架的统一、美观,选用冷镀锌并烤漆的钢制桥架基本能满足防腐蚀的效果。对于动力桥架和控制桥架要求是分开布置,并采用不同形式,但也有部分项目会采用将动力和控制电缆敷设在同一个桥架内,中间加隔板的方式,把动力电缆与控制电缆分隔,目的是为了保证控制电缆信号传输的效果。

5.2.3 纯水系统的化学品区域有一定的腐蚀性,采用电缆钢导管容易出现腐蚀,因此本条文规定在这一区域选用阻燃PVC电缆导管,考虑到电缆导管需有一定的刚度同时兼顾成本,PVC电缆导管宜选用中型管。

Ⅰ 主控项目

5.2.6 在纯水系统的电缆导管与柔性导管的连接中,柔性导管要有一定的垂度并增加漏水三通,其目的是为了系统管道漏水时,保证水在进入导管后会通过漏水三通将水排出去,避免水进入电气设备,导致设备损坏。

5.2.12 本条对信号电缆的屏蔽层处理提出具体的要求,因为在实际的施工中,很多时候出现了两端接地的错误,既浪费了工时还达不到屏蔽的效果。

5.4 仪 表 安 装

5.4.4～5.4.9 归纳总结了工业和民用自动化仪表施工及验收的经验,对共同适用于纯水系统部分作出了统一规定,同时也兼顾了个别系统特有的特点和习惯。

由于工程在工艺设计、操作、现场条件等方面出现的特殊问题,以及仪表设备材料新产品的出现,有可能使设计的要求与本规范不尽一致。此时,经设计单位确认后,施工单位应按设计文件要求施工。

此外,在设备、管道上安装仪表和取源部件,由设计文件对专业分界作出明确规定,便于处理有关专业的分工和配合问题。

6 系统调试及测试

6.1 一 般 规 定

6.1.1 本条明确了系统调试、测试的责任主体,规定系统的调试、测试应由系统的承包单位负责,而设计、建设单位应配合承包单位做好系统的调试、测试工作。

6.1.2 电子工业纯水系统涵盖的内容多且全,电气、仪表、机械设备、管路及阀门,涉及的动力含电、气体、水、化学品,其中的某一个环节或步骤操作不慎或错误,都可能引发设备损坏甚至是引发事故,伤及操作人员或周围人员,因此本条要求调试单位在进行系统调试前应编制好调试方案,对系统的调试进行周密计划,包括可能发生的问题的应急预案,目的是保证系统调试安全、有效、顺利地进行。

6.1.4 本条明确了系统调试的条件。本条第 2 款强调系统调试前施工应该完成,第 4 款强调调试需要的动力、检测仪表到位,以保证系统调试时设备、仪表、阀门等正常开启,保证调试的正常进行,而要求安全防护用具准备到位,目的是系统调试时发生漏水、漏电、化学药品泄漏等事故,保护人身安全。第 5 款强调只有熟悉系统组成及相关技术文件,并掌握设备调试操作规程的人员参与系统的调试,才能正确、顺利、安全地进行系统调试工作,调试过程出现问题才可能正确地处理,才能保证系统调试安全、有效、顺利地进行。

6.2 系 统 调 试

6.2.1 本条对系统安装完成后的系统调试项目作了明确的规定。纯水系统安装完成后,为了使工程达到的预期的目标及功能,必须进行系统调试,调试包括设备的单机试运转及调试、系统的联合试运转及调试。

Ⅰ 设备单机试运转及调试

6.2.3 电子工业纯水系统的设备主要包括水泵、水箱、罐及 RO、MDG、UV、UF 等处理装置,系统中还涵盖与设备相连的管路、阀门、仪表、监控装置等,因此设备单机试运转及调试,除了应包含水泵、水箱、罐等的转向、流量、满水试验、熏蒸、清洗等工序已完成且符合设计要求外,与设备运转相关的管路、阀门、仪表监控装置等均达到设计要求,才能为后续的系统联合试运转及调试提供保证。但考虑到不同的系统,涵盖的设备及工艺要求可能有所不同,对设备及相关的管路、阀门、仪表监控要求可能也会有所不同,进行设备单机试运转及调试应参照设计要求。

Ⅱ 系统的联合试运转及调试

6.2.5 对电子工业纯水系统,在系统联合试运转及调试完成后正式给用水点供水前,均应对设备、管路等进行杀菌消毒,为避免杀菌消毒过程产生二次污染,同时又达到杀菌消毒效果,杀菌消毒剂应采用电子级的 H_2O_2,杀菌消毒时的浓度应控制在 1% 以内,考虑到 H_2O_2 的氧化性很强,浓度过高时可能会对设备、管路造成损害,但浓度太低又可能起不到杀菌消毒效果,因此在实际操作时,应根据采购的 H_2O_2 的浓度及系统的大小,计算出杀菌消毒需使用的合理的电子级的 H_2O_2 的量,以保证杀菌消毒时 H_2O_2 的浓度在 1% 以内。同时,为避免对设备造成损伤(杀菌消毒剂 H_2O_2 与设备发生氧化反应),对不需要进行杀菌消毒而需要隔离的设备(进行系统设备选型时,此部分设备可能未考虑耐 H_2O_2 的氧化性能),必须隔离或关闭,以保证设备的完好。

H_2O_2 除了具有氧化还原性外,还具有一定的腐蚀性,对人体及环境都有一定的危害,因此排放时不能随意排放,应安装临时性的管路排至相应的处理系统或回收,送至有处理能力的厂家进行处理。

6.3 系 统 测 试

6.3.1~6.3.5 这5条对系统的测试条件作了要求。纯水的指标,根据工艺需求会有所不同,合同文件及设计文件也会有明确规定,进行水质指标测试时需要根据测试指标的不同设置合适的测试点。

纯水系统中制水设备的必要操作,如反洗、再生、清洗等,只有在一定的周期内,才有一次完整的操作,在确认系统一次完整的操作正常才可以认为系统运转正常,而周期的长短由系统的规模决定,因此第6.3.1条规定系统的测试周期不应少于72h。

6.3.6 本条对电子工业纯水系统的测试指标作了规定。电子工业纯水系统的每道处理工序,其处理产水都有一定的水质指标要求,而前道处理工序的产水指标是否合格也是保障后续处理工序按设计要求运行的必要条件,但针对不同的项目,因水源条件及工艺要求等有所不同,相应的测试指标也会有所不同或有所侧重,因此具体系统的测试指标需要根据项目设计文件而定。

7 工 程 验 收

7.1 一 般 规 定

7.1.1～7.1.3 这 3 条规定明确了电子工业纯水工程验收阶段的划分、各验收阶段的界定。竣工验收是对工程安装质量的验收，是对系统各分部工程做外观检查和无生产负荷的联合试运转测定及调试的验收，而综合性能验收是在竣工验收后或是具备生产试运行条件下，对系统使用功能的检测及评估。

工程验收，对系统的设备、仪表等存在的问题，可能还应涉及相应的供应商，应根据合同的约定或合同关系，分清责任，需要供应商配合的，验收时也应组织供应商参加。

7.2 竣 工 验 收

7.2.1 本条对电子工业纯水工程的竣工验收所需的文件资料作了规定。本条第 1、4、5 款是施工过程中反映施工质量的记录资料，第 2 款是系统中使用的材料、设备、仪器仪表的质量保证资料，第 3 款是系统后续运转维护的必要资料，第 6、7 款是系统调试过程中的设备、系统状态的记录资料，第 8 款～第 10 款是验收阶段对系统施工质量的验收检查资料。按照《建筑工程施工质量验收统一标准》GB 50300 的要求，竣工验收合格应是整个施工过程检验合格，上述文件资料涵盖系统施工的全过程，反映了系统建设过程的质量状态，为工程的竣工验收提供了全面的质量依据，也为工程质量提供了有力的保障。

7.2.2 本条对工程安装质量所需的要求作了规定。根据《建筑工程施工质量验收统一标准》GB 50300 的要求，工程安装质量主要是外观、安全、使用功能等方面所有明显的隐含能力的特性总和，只有外观、安全、使用功能等方面符合设计及规范要求,工程安装质量才能认为合格。本条所作的规定主要也是结合电子工业纯水系统的特点,从工程的外观、安全、使用功能、便于运行维护等方面对工程安装质量作了相应要求。

7.3 综合性能验收

7.3.1 不同的项目,因生产工艺不同,所建设的纯水系统的使用要求会有所不同,因此其综合性能验收项目应根据建设单位的生产工艺和设计的要求来确定。

7.3.2 综合性能验收是在竣工验收后或是具备生产试运行条件下,对系统使用功能的检测及评估,而对于电子工业纯水系统,系统的使用功能主要包括水质指标是否符合使用要求、系统的运行压力及流量是否符合使用要求。上述水质指标、压力、流量符合使用要求,系统的使用功能才能达到生产工艺及设计的要求。

附录 A　纯水系统主要测试项目

　　表 A　电子工业纯水系统的主要测试项目包括过程测试项目及最终产水的指标测试。表中的第 1 项~第 15 项为最终产水常见的主要测试项目,第 16 项~第 27 项为纯水制造过程中常见的测试项目,即过程测试项目,而第 1 项、第 28 项~第 30 项,在纯水系统的过程测试中及最终产水的指标测试均会涉及,设计文件或合同中均会有明确规定。

　　具体到某个系统所需测试的项目根据建设项目的工艺要求及纯水处理工艺流程的不同会有所不同,在设计文件或合同中有明确规定。表 A 检测方法栏所列的检测方法应根据纯水水质的要求,结合检测方法的灵敏度、准确度、重现性、操作性、分析速度以及费用综合评判选择。合同中有约定的,应根据合同的要求选择。

附录 B 纯水系统主要指标测试方法

本附录所列举的测试方法,是根据多年来实际工程实例所采用的测试方法阐述的,但具体到某个项目时,应根据合同或实际条件来选择更合适、可行的测试方法。

B.7.2 纯水系统中的金属离子主要包括 Cu^{2+}、Zn^{2+}、Ni^+、Na^+、K^+ Ca^{2+}、Mg^{2+}、Al^{3+}、Fe^{2+}、Mn^{2+} 等。因生产工艺的差异,不同的项目具体需要测试的离子项目会有差异,需要根据项目设计或合同文件来确定。

B.8.2 纯水系统中的阴离子主要包括氯离子(Cl^-)、氟离子(F^-)、硝酸根离子(NO_3^-)、磷酸根离子(PO_4^{3-})、硫酸根离子(SO_4^{2-})等。不同的项目具体需要测试的离子项目也同金属离子测试一样,需要根据项目设计或合同文件来确定。

B.8.3 本条第 6 款规定每次测定应先进行标准溶液的校正是因为阴离子的色谱图随着仪器参数与工作条件而变化,所以每次测定应先进行标准溶液的校正,以确定各阴离子色谱图的位置。

中国计划出版社

网址：www.jhpress.com
电话：400-670-9365

进入官方微信
刮涂层查真伪

统一书号：1580242·641

定　　价：24.00元